한시의 현대화 03

망월(望月)

구봉 송익필 선생의 고뇌를 토로한 울림

檀山 朴贊謹 편저

송구봉 선생

송익필(宋翼弼, 1534~1599) 선생은 조선 중기의 서얼 출신 유학자, 정치인입니다. 1534년 2월 10일, 경기도 고양에서 태어났다. 그의 아버지 송사련은 서얼 출신으로, 안당의 역모에 연루되어 처형되었다. 이러한 출신 배경으로 인해 송익필 선생은 관직에 진출하기 어려웠다. 그러나, 송익필 선생은 뛰어난 학문과 재능으로 당대의 명망가들과 교류하며 학문을 연마했다. 또한, 성균관에 진학하여 성리학을 공부하며 학문적 깊이를 더했다.

1576년, 송익필 선생은 성균관 진사가 되었고, 1582년에는 승문원 부정자로 등용되었다. 이후, 승문원 박사, 사헌부 장령, 공조참의 등을 역임하며 관직에 진출했다. 송익필 선생은 뛰어난 언변과 식견으로 조정 내에서 큰 영향력을 행사했다. 또한, 서얼 출신이라는 배경을 극복하고 관직에 진출하여 사회적 신분 상승에 기여했다.

그러나, 1595년, 기축옥사에 연루되어 유배를 당했다. 기축옥사는 서인과 동인의 대립이 심화되면서 일어난 정치적 탄압 사건으로, 송익필 선생은 이 사건의 배후로 지목되어 유배를 당했다. 유배 생활을 하던 송익필 선생은 1599년, 66세의 나이로 세상을 떠났다. 그는 뛰어난 학문과 재능으로 조선 중기의 정치, 문화계에 큰 영향을 미친 인물로 평가받고 있다.

송익필 선생의 삶

첫 번째 단계는 1534년부터 1582년까지의 기간입니다. 이 기간 동안 송익필 선생은 서얼 출신의 한계를 극복하고 학문과 인격을 연마하며 성장하는 시간을 보냈다.

두 번째 단계는 1582년부터 1595년까지의 기간입니다. 이 기간 동안 송익필 선생은 뛰어난 언변과 식견으로 조정 내에서 큰 영향력을 행사하며 관직에 진출했다. 또한, 서얼 출신이라는 배경을 극복하고 사회적 신분 상승에 기여했다.

세 번째 단계는 1595년부터 1599년까지의 기간입니다. 이 기간 동안 송익필 선생은 기축옥사(己丑獄事)에 연루되어 유배 생활을 하다가 세상을 떠났다.

시(詩)를 통해 본 송익필 선생의 삶은 시대의 한계를 극복하고 자신의 꿈을 이루기 위해 노력한 한 인간의 이야기이며, 또한, 서얼 출신이라는 사회적 약자의 입장에서 자신의 목소리를 낸 한 인물의 이야기이기도 하다.

우음(偶吟)이 많은 이유

서얼 출신이라는 배경: 송익필 선생은 서얼 출신으로, 당시 조선 사회에서는 신분 차별이 심했다. 이러한 신분 차별로 인해 송익필 선생은 자신의 생각과 감정을 자유롭게 표현하기 어려웠다. 우음은 두 사람이 서로의 시에 화답하는 형식의 시로, 송익필 선생은 우음을 통해 자신의 생각과 감정을 간접적으로 표현하고자 하였다.

정치적 상황: 송익필 선생은 조선 중기의 정치적 혼란기 속에서 활동했다. 이러한 정치적 상황 속에서 송익필 선생은 자신의 정치적 견해를 자유롭게 표현하기 어려웠다. 우음은 두 사람이 서로의 시에 화답하는 형식의 시로, 송익필 선생은 우음을 통해 자신의 정치적 견해를 간접적으로 표현하고자 하였다.

문학적 특징 :송익필 선생은 뛰어난 언변과 식견을 가진 인물로, 문학에도 뛰어난 재능을 보였고, 우음을 통해 자신의 문학적 재능을 발휘하고자 하였다.

우음(偶吟)의 특징

내용이 다양 : 송익필 선생의 우음은 사랑, 우정, 정치, 자연 등 다양한 주제를 다루고 있다.

형식이 자유롭다:송익필 선생의 우음은 형식이 자유롭고, 운율이 일정하지 않다.

표현이 간결하고 함축적:송익필 선생의 우음은 표현이 간결하고 함축적이다.

송익필 선생의 우음은 조선 중기의 사회와 정치, 송익필 선생의 삶과 문학을 이해하는 데 중요한 자료가 되고 있다.

이러한 이유로 세상의 부조리와 혼란 속에서도 자신의 내면을 지키고자 하는 삶을 살 수도 있고, 세상을 바꾸고자 하는 의지를 가지고 새로운 세상을 꿈꿀 수도 있다. 또한, 세상의 번잡함과 속박에서 벗어나 자연 속에서 고독을 즐기며 깨달음을 추구하는 삶을 살 수도 있었다.

<제목 차례>

보름달

둥글기 전에는 늘 더디 둥글어 한이더니
둥근 뒤엔 어쩜 그리 쉽싸리도 이우는가?
서른 밤 중 둥근달은 하룻밤일 뿐이거니
한 백 년의 심사 이에 모두 이와 같으리라

未圓常恨就圓遲　미원상한 취원지
圓後如何易就虧　원후여하 이취휴
三十夜中圓一夜　삼십야중 원일야
百年心事總如斯　백년심사 총여사

감상평

이 시(望 月)에서 둥근 달을 통해, 삶의 무상함을 노래한다. 둥근 달이 둥글기까지는 오랜 시간이 걸리지만, 둥글게 된 후에는 금방 사라진다고 말하여 삶도 마찬가지로, 목표를 이루기까지는 큰 노력이 필요하지만, 목표를 이루게 되면 금방 사라진다는 것을 의미한다.

둥글기 전에는 늘 더디 둥글어 한이더니 둥근 뒤엔 어쩜 그리 쉽싸리도 이우는가라고 말하니 둥근 달이 둥글기까지는 오랜 시간이 걸리지만, 둥글게 된 후에는 금방 사라진다는 것을 말한다. 이는 삶도 마찬가지로, 목표를 이루기까지는 큰 노력이 필요하지만, 목표를 이루게 되면 금방 사라진다는 것을 의미한다.

서른 밤 중 둥근달은 하룻밤일 뿐이거니 한 백 년의 심사 이에 모두 이와 같으리라고 말하여 30일 중 둥근달은 하루밖에 없다는 것을 강조했으니 이는 인생도 마찬가지로, 행복한 순간은 짧고, 불행한 순간은 길다는 것을 의미한다. 삶의 무상함을 깨닫고, 욕심을 버리고, 현재에 충실해야 한다고 했다.

산중에서

모든 일은 하늘에 맡기고
꽃을 보며 술에 취해
숲속에서 잠을 잤네
도(道)를 배움은 이 시대에 써먹고
시를 짓는 것은
세상 사람들에게 보여주기 위한 것이 아니네

세상이 혼란스러운데
고각(鼓角) 소리가 청산 밖에서 들려오네
봄이 지나간 강호(江湖)는
늙은이 앞에 펼쳐져 있네
지혜는 쇠하지 않았지만
나이가 이미 늙었네
꿈속의 혼1)은
복희씨의 이전 시대로 돌아가네

---

1) 속세를 떠나서 한가롭게 지낸다는 뜻이다. 진(晉)나라의 은사(隱士)인 도잠(陶潛)이 오뉴월 한여름에 북창(北窓) 아래에 누웠다가 서늘한 바람이 잠깐 불어오자, 태곳적 복희 시대 사람이 된 것 같다고 하였다. 《晉書 隱逸列傳 陶潛》

悠悠萬事任蒼天　유유만사 임창천
醉倚幽花樹樹眠　취의유화 수수면
學道非求今世用　학도비구 금세용
吟詩無意後人傳　음시무의 후인전

時危鼓角青山外　시위고각 청산외
春盡江湖白髮前　춘진강호 백발전
志氣未衰年已晚　지기미쇠 연이만
夢魂來往伏羲先　몽혼래왕 복희선

감상평

이 시(偶題)에서 세상의 부귀와 명예에 관심을 두지 않고, 자연 속에서의 삶을 추구하는 자신의 삶을 노래하고 있다.

모든 일을 하늘에 맡기고, 꽃을 보며 술에 취해 숲속에서 잠을 잤다고 말한다. 이는 화자가 세상의 부귀와 명예에 관심을 두지 않고, 자연 속에서의 삶을 추구하는 것을 보여준다.

세상이 혼란스럽지만, 자신은 고각 소리를 듣지 못한다고 말한다. 이는 화자가 세상의 혼란에 관심을 두지 않고, 자신의 삶에 집중하고 있음을 보여준다.

자신의 지혜는 쇠하지 않았지만, 나이가 이미 늙었다고 말한다. 이는 화자가 자신의 삶에 만족하며, 자연 속에서의 삶을 계속 이어나가고자 하는 것을 보여준다.

꿈속의 혼이 복희씨의 이전 시대로 돌아간다고 말한다. 이는 화자가 자연 속에서의 삶을 추구하는 자신의 삶을 이상적인 삶으로 생각하고 있음을 보여준다.

산중의 여유 1

방초 자라 한가로운 사립 가리고
꽃이 피매 산속 세월 더디게 가네
버들 짙어 연무 뚝뚝 떨어질 듯하고
못 고요해 하얀 백로 날기를 잊었네

믿는 것이 있으니 나이 듦도 가볍고
다툼 없어 저들 하는 대로 버려두네
승침(升沈)2)이야 천고 옛적 일이거니와
봄날 꿈이 절로 다시 흐릿해지네

芳草掩閑扉　방초 엄한비
出花山漏遲　출화 산루지
柳深煙欲滴　류심 연욕적
池靜鷺忘飛　지정 노망비

---

2) 승침(升沈): 벼슬길에서의 득실이나 진퇴를 말하기도 하고, 만난 처지
　의 행과 불행을 말하기도 한다.

有恃輕年暮 유시 경년모
無爭任彼爲 무쟁 임피위
升沈千古事 승침 천고사
春夢自依依 춘몽 자의의

감상평

이 시(獨坐)에서 산중의 여유로운 삶을 노래한다. 방초가 자라 한가로운 사립을 가리고, 꽃이 피매 산속 세월이 더디게 간다고 말한다. 이는산중에서 여유롭게 삶을 살아가는 모습을 보여준다. 또한, 버들 짙어 연무 뚝뚝 떨어질 듯하고, 못 고요해 하얀 백로 날기를 잊었다고 말한다. 이는자연의 아름다움을 감상하며, 마음의 평화를 찾고 있음을 뜻한다. 마지막 부분에서 믿는 것이 있으니 나이 듦도 가볍고, 다툼 없어 저들 하는 대로 버려두네라는 표현은세상에 대한 욕심을 버리고, 마음의 평화를 추구하고 있음을 뜻한다. 특히, 마지막 부분은 시인의 삶에 대한 태도를 잘 드러낸다고 생각된다. 세상에 대한 욕심을 버리고, 마음의 평화를 추구하고 있다는 태도를 보여준다. 이는 현대를 살아가는 우리들도, 시인의 삶에 대한 태도를 통해, 삶의 의미와 행복을 생각해볼 수 있다.

산중의 여유 2

구름과 물 깊은 곳에서 책상에 기대어
경서를 궁리할 새 푸른 벽라(薜蘿)3) 자랐네

구하는 게 없으니 일이 적음을 알겠고
지키는 게 있어 천리(天理) 많이 얻었네

산이 고요해 풀에서는 향기가 생기고
강이 맑으매 물결에는 달이 잠겼네

마음 근원 비운 지가 이미 오래라
휘파람도 아니 불고 노래도 않네

隱几深雲水　은궤 심운수
窮經長薜蘿　궁경 장벽라
不求知事少　불구 지사소
有守得天多　유수 득천다

---

3) 벽라(薜蘿):벽려(薜荔) 넝쿨과 여라(女蘿) 넝쿨을 병칭한 말이다. 옛
  날에 은자(隱者)들이 흔히 이것으로 옷을 지어 입었으므로, 흔히 은자
  나 고사(高士)의 처소를 상징하는 말로 쓰인다.

山靜香生草　산정 향생초
江澄月在波　강징 월재파
心源虛已久　심원 허이구
無嘯亦無歌　무소 역무가

감상평

이 시(獨坐)에서 산중의 여유로운 삶을 노래한다. 구름과 물 깊은 곳에서 책상에 기대어 경서를 궁리할 새, 푸른 벽라가 자랐다고 말한다. 이는산중에서 여유롭게 삶을 살아가는 모습을 보여준다. 또한, 구하는 게 없으니 일이 적음을 알겠고, 지키는 게 있어 천리 많이 얻었다고 말한다. 이는세상에 대한 욕심을 버리고, 마음의 평화를 찾고 있음을 뜻한다. 마지막 부분에서 마음 근원 비운 지가 이미 오래라, 휘파람도 아니 불고, 노래도 않네라는 표현은마음의 평화를 찾고, 삶의 의미를 찾은 모습을 보여준다. 특히, 마지막 부분은 시인의 삶에 대한 태도를 잘 드러낸다고 생각된다. 마음의 평화를 찾고, 삶의 의미를 찾은 모습을 보여준다. 이는 현대를 살아가는 우리들도, 시인의 삶에 대한 태도를 통해, 삶의 의미와 행복을 생각해볼 수 있다는 것을 의미한다.

산중의 고독

높이 누워 지내며 현빈(玄牝)4)을 기르고
노을에 깃들어 살며 적막을 벗하네
숲 소리는 갠 날에는 빗소리 되고
강 빛은 밤에서 아침까지 이어지네

산이 고요해 봄 기약은 멀기만 하고
하늘이 길어 학 가는 길 아득 하다네
은하수 저 밖에다 회포를 부쳐
바람 타고 아득한 곳 멋대로 가네

高臥養玄牝　고와 양현비
霞棲傍寂寥　하서 방적요
林聲晴作雨　임성 청작우
江色夜連朝　강색 야연조

---

4) 현빈(玄牝):만물을 자생(孶生)하는 근원인 도(道)를 가리키는데, 도덕
경(道德經)》 제6장에 "곡신(谷神)은 영원히 죽지 않나니, 이것을 현빈
이라 하고 현빈의 문을 천지의 근원이라 한다."라고 한 데서 온 말이
다.

山靜春期遠　산정 춘기원
天長鶴路遙　천장 학로요
寄懷雲漢表　기회 운한표
風御任迢迢　풍어 임초초

감상평

이 시(高臥)에서 산중의 고독을 노래한다. 높이 누워 지내며, 현빈(玄牝)을 기르고, 노을에 깃들어 살며, 적막을 벗고 있다고 말한다. 이는 산중에서 고독한 삶을 살아가는 모습을 보여준다. 또한, 숲 소리는 갠 날에는 빗소리 되고, 강 빛은 밤에서 아침까지 이어진다고 말한다. 이는 자연의 아름다움을 감상하며, 마음의 평화를 찾고 있음을 뜻한다. 마지막 부분에서 은하수 저 밖에다 회포를 부쳐, 바람 타고 아득한 곳 멋대로 간다고 말한다. 이는 세상에 대한 그리움과, 자유로움을 갈망하는 모습을 보여준다. 특히, 마지막 부분은 시인의 삶에 대한 태도를 잘 드러낸다고 생각된다. 세상에 대한 그리움과, 자유로움을 갈망하는 모습을 보여준다. 이는 현대를 살아가는 우리들도, 시인의 삶에 대한 태도를 통해, 삶의 의미와 행복을 생각해볼 수 있다는 것을 의미한다.

저녁노을

저녁노을이 지고
골짝 속은 고요만 한데
어느 절에서 종소리가 들려온다
시냇가의 돌 위에서
외로이 졸던 나는
대 숲에 부는 바람에 술이 깨었다

지는 해가 성근 비를 비춰주다가
구름이 걷히고
멀리 봉우리가 열리는 속에서
마음은 맑아졌다
우두커니 서 있노라니
나는 새가 되어
먼 하늘로 날아가는 것 같다

向晚洞門靜　향만 동문정
一聲何寺鍾　일성 하사종
孤眠溪上石　고면 계상석
醉起竹間風　취기 죽간풍

落照映疏雨 낙조 영소우
晴雲開遠峯 청운 개원봉
澄心空佇立 징심 공저립
飛鳥入長空 비조 입장공

감상평

이 시(獨立)에서 저녁노을을 통해, 삶의 의미를 노래한다. 저녁노을이
지고, 골짝 속은 고요만 한데, 어느 절에서 종소리가 들려온다고 말한
다. 이는 삶의 끝을 의미하는 저녁노을과, 삶의 의미를 찾고자 하는
종소리의 대비를 통해, 삶의 의미에 대한 고민을 보여준다. 또한, 지는
해가 성근 비를 비춰주다가, 구름이 걷히고, 멀리 봉우리가 열리는 속
에서, 마음이 맑아졌다고 말한다. 이는 삶의 의미를 찾은 후의 평온한
마음을 표현하고 있다. 마지막 부분에서 우두커니 서 있노라니, 나는
새가 되어 먼 하늘로 날아가는 것 같다고 말한다. 이는삶의 의미를 찾
고, 자유로워진 모습을 보여주고 있다. 특히, 마지막 부분은 시인의 삶
에 대한 태도를 잘 드러낸다고 생각된다. 삶의 의미를 찾고, 자유로워
진 모습을 보여준다. 이는 현대를 살아가는 우리들도, 시인의 삶에 대
한 태도를 통해, 삶의 의미와 행복을 생각해볼 수 있다는 것을 의미한
다.

자연 속으로

봉황은 새벽을 맡지 않고 기린은 타지 못하지만
서로의 역할이 다름에도 불구하고 마땅함이 있다네
한 숲속의 자유로움이 내게 전해져 왔는데
온 천하의 안위는 끝내 누가 맡으려나

오직 고요함 속에서 저들의 행동을 보고
아무것도 없는 데서 저들의 짓을 비웃네
인세에서 이미 정신 수양할 곳을 찾았으니
물외에서 번거롭게 옥지캘 게 뭐 있으랴

사람 되어 남자로 태어난 게 다행이며
또한 천인 이치 아니 어둡단 걸 알았다네
즐거움이 있어 이미 서권의 뜻을 살폈으며
무심하니 고금의 때 물어보지 아니하네

해가 높아서 푸른 나무 그림자가 천 겹이고
산이 고요해 누런 꾀꼴 우는 소리 백 가지네
창 안에서 잠이 깨어 창 앞에 와 앉아 있자
속세 세상 갈림길이 있다는 걸 못 믿겠네

鳳不司晨麟不駕　봉불사신 인불가
閑忙殊道有相宜　한망수도 유상의
一林笑傲傳歸我　일림소오 전귀아
四海安危竟在誰　사해안위 경재수

偏向靜中看彼動　편향정중 간피동
更於無處笑他爲　갱어무처 소타위
人間旣占頤神地　인간기점 이신지
物外何煩採玉芝　물외하번 채옥지

爲人爲幸作男兒　위인위행 작남아
又識天人理不迷　우식천인 이불미
有樂旣觀舒卷義　유락기관 서권의
無心休問古今時　무심휴문 고금시

綠樹日高千疊影　녹수일고 천첩영
黃鸝山靜百般啼　황리산정 백반제
窓中睡起窓前坐　창중수기 창전좌
未信塵寰有路岐　미신진환 유로기

감상평

이 시(偶題 二首)는 세상의 부귀와 명예를 좇는 사람들을 비판하고,
자연 속에서의 삶의 가치를 노래하고 있다.

봉황과 기린의 예를 들어, 세상에는 각자의 역할이 있음을 강조하다.
봉황은 새벽을 알리는 역할을 하고, 기린은 왕의 수레를 끄는 역할을
하다. 이처럼 세상에는 각자의 역할이 있고, 그 역할에 따라 마땅한
보상이 주어진다며, 세상의 부귀와 명예를 좇는 사람들을 비판한다.

세상의 부귀와 명예를 좇는 사람들을 조롱한다. 세상의 사람들의 행동
을 고요함 속에서 지켜보고, 그들의 짓을 비웃는다. 세상에서 이미 정
신 수양할 곳을 찾았으니, 물외에서 옥지캘 필요가 없다고 말한다.

사람으로 태어난 것에 감사하며, 천인 이치를 이해하고 있다고 말한다. 서권(書卷)의 뜻을 살피고, 고금의 때를 물어보지 않고 무심하게 살아가는 삶에 만족해 한다.

자연 속에서의 삶의 아름다움을 노래한다. 해가 높아서 푸른 나무 그림자가 천 겹이고, 산이 고요해 누런 꾀꼴 우는 소리가 백 가지라고 말한다. 창 안에서 잠이 깨어 창 앞에 와 앉아 있으니, 속세 세상 갈림길이 있다는 걸 못 믿겠다고 말한다.

자연 속에서

옛것을 배우며 현재를 살아가니
친한 사람이 없구나
문을 닫고 지내는 것은
병이 있어서가 아니라네

텅 빈 물가 아득하니
그윽한 생각이 일고
방초(芳草) 자라 무성하니
먼 데 사람 시름 짓네

술통잡고 술에 연일 취함도
사양하지 말 것이니
바람과 꽃, 한 봄 내내
멈춰 있기 어렵다네

저물 무렵 금(琴)을 잡고 의란곡5)을 연주하니
저율리6)의 깊은 근심 가난함에 있지 않네

學古生今世莫親　학고생금 세막친
杜門非爲病纏身　두문비위 병전신
空洲漠漠起幽思　공주막막 기유사
芳草萋萋愁遠人　방초처처 수원인

樽酒莫辭連日醉　준주막사 연일취
風花難住一年春　풍화난주 일년춘
晚來琴弄猗蘭曲　만래금롱 의난곡
栗里深憂不在貧　율리심우 부재빈

---

5) 의란곡(猗蘭曲): 공자(孔子)가 지었다는 금곡(琴曲)인 〈의란조(猗蘭
操)〉를 말한다. 공자가 제후들을 두루 찾아갔으나 아무도 자신을 등
용해 주는 이가 없어 노(魯)나라로 돌아오게 되었다. 그때 어느 깊은
골짜기에 향기로운 난초가 무성히 피어 있는 것을 보고 한숨을 내쉬며
탄식하기를 "난초는 의당 왕자(王者)를 위해 향기를 피워야 하거늘,
지금 홀로 무성하여 뭇 풀들과 함께 섞여 있구나."라고 하고는 수레를
멈추고 금(琴)을 연주하여, 때를 잘 만나지 못한 자신의 신세를 상심
하는 마음을 난초에 가탁하였다. 《樂府詩集 卷58 琴曲歌辭 猗蘭操》
6) 율리(栗里): 중국 강서성(江西省) 구강현(九江縣)에 있는 지명으로,
진(晉)나라의 은사인 도잠(陶潛)이 진나라가 망하고 유송(劉宋)이 건
국하자 정절(靖節)을 지켜 율리에 은거하였다.

감상평

이 시(有思)에서 자연 속에서의 삶을 노래한다. 옛것을 배우며 현재를 살아가고, 친한 사람이 없지만 문을 닫고 지내는 것은 병이 있어서가 아니라는 표현은 자연 속에서의 삶을 통해, 세상의 부질없음과 자기 마음의 평온을 찾고자 하는 태도를 보여준다.

옛것을 배우며 현재를 살아가고 있다고 말한다. 이는 과거의 지혜를 통해, 현재의 삶을 살아가고자 하는 태도를 보여준다.

또 친한 사람이 없지만 문을 닫고 지내는 것은 병이 있어서가 아니라는 표현은 자연 속에서의 삶을 통해, 세상의 부질없음을 깨닫고, 자신의 마음의 평온을 찾고자 하는 태도를 보여준다.

텅 빈 물가와 무성한 방초를 통해, 자연의 아름다움과 소중함을 노래한다. 이는 자연 속에서의 삶을 통해, 삶의 의미를 찾고자 하는 태도를 보여준다.

술을 통해, 삶의 즐거움을 노래한다. 이는 자연 속에서의 삶을 통해, 삶의 즐거움을 누리고자 하는 태도를 보여준다.

시의 마지막 부분에서 의란(漪瀾)곡을 연주하며, 가난함에도 불구하고
삶에 대한 깊은 근심을 노래한다. 이는자연 속에서의 삶을 통해, 삶의
본질에 대한 깨달음을 얻고자 하는 태도를 보여준다.

자연 속에서의 삶 1

낮잠 자다 꾀꼬리 소리에 깨니
바위 문에 대나무 숲 어리비치네
강마을엔 다리 위서 시장을 열고
산마을선 빗속에서 다듬이 소리

때 위태해 이별하는 한은 가볍고
몸 병들어 고향 생각 줄어드네
옛것 사모하다 세상 어긋났기에
숨어 살 곳 깊은 곳에 잡지 않았네

午枕驚黃鳥　오침 경황조
巖扉映竹林　암비 영죽림
水村橋上市　수촌 교상시
山郭雨中砧　산곽 우중침

時危輕別恨 　시위 경별한
身病減鄕心 　신병 감향심
慕古終違世 　모고 종위세
幽居不卜深 　유거 불복심

감상평

이 시(偶題 二首)에서 자연 속에서의 삶을 노래한다. 낮잠 자다 꾀꼬리의 소리에 깨니, 바위 문에 대나무 숲이 어리비친다고 말한다. 이는 자연의 아름다움 속에서, 평화로운 삶을 살고 있음을 보여준다. 또한, 강마을에선 다리 위에서 시장을 열고, 산마을에선 빗속에서 다듬이를 친다고 말한다. 이는자연 속에서도, 사람들과 함께 어우러져 살아가고 있음을 보여준다.

마지막 부분에서 때가 위태해 이별하는 한은 가볍고, 몸이 병들어 고향 생각 줄어드네, 옛것 사모하다 세상이 어긋났기에, 숨어 살 곳 깊은 곳에 잡지 않았네라는 표현은세상의 부조리와 혼란을 벗어나, 자연 속에서의 삶을 선택했음을 보여준다.

자연 속에서의 삶 2

졸졸대는 물소리 귀에 들리니
창 너머에 봄물이 막 불어났나
진리를 온축하니 산은 적막만 하고
도(道) 즐기매 세월 몹시 빠르게 가네

분수 정해지니 이내 몸이 편하고
정신(精神) 응결되니 뜻과 생각 맑은데
산 구렁서 피는 구름 바라다보니
가고 옴을 정 없는 데 내맡기누나

冷冷入耳聲　영영 입이성
隔窓春水生　격창 춘수생
蘊眞山寂寞　온진 산적막
耽道歲崢嶸　탐도 세쟁영

分定形骸逸 분정 형해일
神凝志慮淸 신응 지려청
遙看雲出岫 요간 운출수
來去任無情 내거 임무정

감상평

이 시(獨坐)에서 자연 속에서의 삶을 노래한다. 졸졸대는 물소리가 귀에 들리니, 창 너머에 봄물이 막 불어났는가라는 표현은 자연의 아름다움 속에서, 평화로운 삶을 살고 있음을 보여준다. 또한, 참을 온축하니 산은 적막만 하고, 도리어 즐기매 세월 몹시 빠르게 가네라는 표현은 자연 속에서의 삶이, 세속의 삶보다 더 즐겁고 보람 있음을 느끼고 있음을 뜻한다.

마지막 부분에서 분수(分數) 정해지니 이내 몸이 편하고, 정신(精神) 응결되니 뜻과 생각 맑은데, 산 구렁서 피는 구름 바라다보니, 가고 옴을 정 없는 데 내맡기누나라는 표현은 세상의 이치에 순응하고, 자연 속에서의 삶을 즐기고 있음을 보여준다.

자연과 함께하는 삶

나는 아니 사절해도
남들이 날 아니 찾아
흰 구름 낀 산길에는
푸른 이끼 자라났네

방 안에는 절로
끝이 없는 낙(樂)이 있거니와
일만 권의 경서(經書)에다
또 한 잔의 술이로다

我不謝人人不來　아불사인 인불래
白雲山徑長靑苔　백운산경 장청태
室中自有無窮樂　실중자유 무궁락
萬卷經書酒一杯　만권경서 주일배

감상평

이 시(偶題)에서 자연과 함께하는 삶을 노래한다. 세상의 번잡함에서 벗어나, 자연 속에서의 삶을 선택하다. 또한, 자연 속에서, 마음의 평화와 행복을 찾는다.

나는 아니 사절해도 남들이 날 아니 찾아라는 표현은 세상의 번잡함에서 벗어나고 싶어 한다는 것을 뜻한다. 또한, 흰 구름 낀 산길에는 푸른 이끼 자라났네라는 표현은 자연의 아름다움과 평화를 뜻한다.

방 안에는 절로 끝이 없는 낙이 있거니와라는 표현은 자연 속에서, 마음의 평화와 행복을 찾고 있다는 것을 뜻한다. 또한, 일만 권의 경서에다 또 한 잔의 술이로다라고 말하니, 자연 속에서 삶의 의미와 가치를 찾고 있다는 것을 뜻한다.

자연 속에서의 깨달음

바람 부는 숲엔 묘한 소리 모이고
구름 낀 골짝엔 온갖 형상(刑象) 잠겼네
고요함을 비추려고 뜨는 달 맞이하고
어두움을 맑히려고 먼 산 대하네

옛 마음은 나로부터 얻을 수 있고
참 운치는 다른 데선 찾지 못하네
분명하게 깨달으면 앞뒤 같거니
깊고 얕음 있다고는 말하지 마라

風林靈籟集　풍림 영뢰집
雲洞象形潛　운동 상형잠
照寂迎新月　조적 영신월
澄昏對遠岑　징혼 대원잠

古心由我得　고심 유아득
眞趣未他尋　진취 미타심
朗悟同前後　낭오 동전후
休言有淺深　휴언 유천심

감상평

이 시(夕吟)에서 자연 속에서의 깨달음을 노래한다.

바람 부는 숲엔 묘한 소리가 모이고, 구름 낀 골짝엔 온갖 형상이 잠 겼다고 말한다. 이는 자연의 아름다움 속에서, 진리를 깨닫고 있음을 보여준다. 또한, 고요함을 비추려고 뜨는 달을 맞고, 어두움을 맑히려 고 먼 산을 대한다고 말한다. 자연의 도리를 통해, 마음의 평화를 찾 고 있음을 뜻한다. 마지막 부분에서 옛 마음은 나로부터 얻을 수 있 고, 참 운치는 다른 데선 찾지 못하네, 분명하게 깨달으면 앞뒤 같거 니, 깊고 얕음 있다고는 말하지 말라고 한다.

이는 마음의 평화와 진리를 찾기 위해서는, 자연 속에서 자신을 돌아 보는 것이 중요하다는 것을 강조하고 있다.

자연의 평화

새벽이슬 꽃 적시니
방울방울 향기 일고
발 안으로 드는 산빛
옷 가득히 스미누나

사립문에 해가 떠도
부르는 이 없거니와
티끌세상 일 많아서
바쁘단 말 못 믿겠네

曉露霑花滴滴香　효로점화 적적향
入簾山色滿衣裳　입렴산색 만의상
柴扉日上無人喚　시비일상 무인환
不信塵寰萬事忙　불신진환 만사망

감상평

이 시(曉詠)는 자연의 평화를 노래한다. 새벽이슬과 산빛을 통해, 자연의 아름다움과 평화를 느낍니다. 또한, 세상의 번잡함과 대비되는, 자연의 고요함과 여유를 부러워한다.

새벽이슬 꽃 적시니 방울방울 향기 일고라는 표현은 새벽이슬이 꽃을 적시고, 그 향기가 방울방울 퍼져나가는 모습을 묘사한 것으로 자연의 아름다움과 생명력을 뜻한다. 또한, 발 안으로 드는 산빛 옷 가득히 스미누나라는 표현은 산빛이 발 안으로 들어와, 옷 가득히 스며드는 모습을 묘사한 것으로 자연의 평화와 여유를 뜻한다.

사립문에 해가 떠도 부르는 이 없거니와라는 표현은 세상의 번잡함 속에서, 자연 속에서의 삶을 부러워하는 마음을 표현한 것이다. 세상은 일이 많고, 바쁘지만, 자연 속에서는 아무런 걱정 없이 편안하게 지낼 수 있다고 생각한다.

무위(無爲)의 낙(樂)

방초(芳草) 수북 자란 데서
사슴이 졸고 있네
꽃은 지고
물은 흐르고
해는 저물고 있네

무위(無爲)만이 참 낙(樂)인 줄
다시금 또 깨닫나니
한가 속에 별천지가 있는 줄을
뉘 믿으랴

芳草如煙對鹿眠　방초여연 대록면
落花流水夕陽邊　낙화유수 석양변
無爲更覺爲眞樂　무위경각 위진락
誰信閑中別有天　수신한중 별유천

감상평

이 시(獨臥)는 무위(無爲)의 낙(樂)을 노래한다. 방초가 수북 자란 곳에서 사슴이 졸고 있는 모습에서, 무위의 낙을 발견한다. 꽃은 지고, 물은 흐르고, 해는 저물지만, 사슴은 아무런 걱정 없이 졸고 있다. 이는 사슴이 무위의 상태에 있으며, 그 속에서 낙을 누리고 있음을 뜻한다.

무위만이 참 낙인 줄 다시금 또 깨닫나니라는 표현은무위의 상태에서만 진정한 낙을 누릴 수 있음을 깨닫고 있음을 뜻한다. 무위는 아무런 욕심이나 집착 없이, 자연의 흐름에 따라 살아가는 상태를 뜻한다. 이러한 무위의 상태에서, 마음의 평화와 행복을 찾을 수 있다고 믿는다.

한가 속에 별천지가 있는 줄을 뉘 믿으랴라는 표현은 무위의 낙이 한가한 속에서 발견될 수 있음을 강조하고 있음을 뜻한다. 세상의 번잡함과 갈등에서 벗어나, 한가한 속에서 무위의 낙을 찾을 수 있다고 믿는다.

자연과의 합일(合一)

남쪽 뜰의 밖엔 아니 나가며
유람함은 오직 하늘 공경에 있네
마음속에 한 물건도 안 들었으매
형태 있기 전과 묵묵히 계합(契合)하네

不出南庭畔　불출 남정반
遊觀唯敬天　유관 유경천
心中無一物　심중 무일물
默契未形前　묵계 미형전

감상평

이 시(靜坐)는 자연과의 합일을 노래한다. 남쪽 뜰을 벗어나지 않고, 하늘을 공경하며, 마음속에 아무것도 넣지 않음으로써, 자연과의 합일을 이루고자 하다.

남쪽 뜰의 밖으로는 아니 나가며 유람함은 오직 하늘 공경에 있네라는 표현은 자연과 함께하는 삶을 추구한다는 것을 뜻한다. 또한, 마음속에 한 물건도 안 들었으매 형태 있기 전과 묵묵히 계합하네라는 표현은 마음속에 아무것도 넣지두지 않음으로써, 자연과의 합일을 이루고자 한다는 것을 뜻한다.

이 시를 읽고, 현대를 살아가는 우리들도, 자연과의 합일을 추구할 수 있다는 것을 생각해볼 수 있고 또한, 자연과의 합일을 이루기 위해, 자연을 벗어나지 않고, 자연을 공경하는 것이 중요하다는 것을 생각해볼 수 있다.

세월의 덧없음

백발 되어 푸른 산은 멀기만 한데
병란 속에 가는 세월 빠르게 가네
한 줄기 소리는 강물 위의 피리 소리요
천 리 길은 달빛 속을 가는 배로다

요순의 뜻7) 품어 술을 따라 마시고
사해 걱정8) 깊어 남은 경전 살펴보네
매화 꺾어 본들 보낼 곳도 없는데9)
저 은하는 정히 저리도 유유하구나

---

7) 구봉이 자신의 정치적 역량을 펼칠 수 없는 처지에 놓인 탓에 술을 마신
다는 뜻이다. 요순의 뜻은 임금을 잘 보좌하여 요순 같은 성군(聖君)으로
만들겠다는 뜻을 이른다. 이윤(伊尹)이 은(殷)나라 탕(湯) 임금의 초빙을
받고 "내 어찌 농사지으며 이대로 요순의 도를 즐기는 것만 하겠는가."라
고 하며 가지 않았는데, 세 번이나 반복해서 초빙하자 "내가 농사지으며
이대로 요순의 도를 즐기는 것이 어찌 내 군주를 요순과 같은 군주로 만
드는 것만 하겠으며, 어찌 내 백성들을 요순의 백성으로 만드는 것만 하
겠으며, 어찌 내가 직접 이것을 보는 것만 하겠는가."라고 하고 마음을
돌렸던 데서 나온 말이다. 《孟子 萬章上》
8) 이 세상에서 유도(儒道)가 사라지는 것을 걱정하여 남은 경전을 본다
는 뜻이다. 사해는 천하를 가리킨다.
9) 친구들이 다 없어졌다는 뜻이다. 남북조(南北朝) 시대 송(宋)나라의
육개(陸凱)가 강남에서 매화 가지 하나를 장안(長安)에 있는 범엽(范
曄)에게 부치면서 시를 짓기를 "역사를 만나서 매화를 꺾어, 농두 사
는 사람에게 보내 주누나. 강남 땅엔 별다른 것이 없으매, 애오라지 한
가지의 봄을 보내네.[折花逢驛使, 寄與隴頭人. 江南無所有, 聊贈一枝
春.]"라고 하였다. 《太平御覽 卷970》

白髮靑山遠　백발 청산원
兵戈歲易流　병과 세이류
一聲江上篴　일성 강상적
千里月中舟　천리 월중주
杯酒唐虞志　배주 당우지
殘經四海憂　잔경 사해우
折梅無可贈　절매 무가증
雲漢政悠悠　운한 정유유

감상평

이 시(偶題)는 세월의 덧없음을 노래한다. 백발이 되어 푸른 산은 멀기만 하고, 병란 속에 가는 세월이 빠르게 간다고 말한다. 이는 세월의 덧없음을 깨닫고, 인생의 허무함을 느끼고 있음을 보여준다. 또한, 한 소리는 강물 위의 피리 소리고, 천 리 길은 달빛 속을 가는 배로 다라는 표현은 자연의 아름다움을 감상하며, 마음의 평화를 찾고자 하는 모습을 보여준다.

마지막 부분에서 요순의 뜻 품어 술을 따라 마시고, 사해 걱정 깊어 남은 경전을 보네, 매화 꺾어 본들 보낼 곳도 없는데, 저 은하는 정히 저리 유유하구나라는 표현은 세상의 부조리와 불안감에 대해 고민하고, 그것을 떨쳐버리고 싶은 마음을 그대로 드러내고 있다.

꽃밭의 한숨

꽃밭에 봄꽃이 만발한데
젊은이들은 한숨만 쉬네
눈길 저 끝 석양빛은
한(恨)이 가득한 듯이 붉네

지개(芝蓋)가 돌아오지 않으니10)
백성들의 희망은 사라지고
임금의 응답11)이 없으니
나라의 위엄은 빛을 잃었네

---

10) 지개(芝蓋): 일본과 화의(和議)를 교섭하러 간 사신이 돌아오지 않아
   전란이 그치기를 바라던 백성들의 소망이 끊어졌다는 뜻이다. 지개는
   버섯 모양으로 된 일산(日傘)을 말하는데, 여기서는 사신의 행차를 뜻
   한다.
11) 우서(羽書): 일본에 사신을 보낸 데 대한 일본 측의 국서가 없어서
   임금의 위엄이 손상되었다는 뜻이다. 우서는 서신(書信)을 말하는 데,
   여기서는 국서를 뜻한다.

백 년 동안 12)닦아온 무기는
바람에 흩어지고 말았고
천 겹 겹친 관료는
달빛 속에 잠겨 있네

금고 치는 소리 속에
꽃은 떨어져 지고
언제쯤이라야 앞산에서
밭을 갈 수 있을까

---

12) 관검(冠劍):옛날에 관원들이 쓰던 모자와 그들이 차던 검을 말하는
데, 후대에는 이를 인하여 관직이나 관원을 뜻하는 말로 쓰였다.

萋萋芳草短長亭　처처방초 단장정
極目斜陽無限情　극목사양 무한정
芝蓋不廻人望斷　지개불회 인망단
羽書無應主威輕　우서무응 주위경

百年冠劍隨風散　백년관검 수풍산
千疊關河鎖月明　천첩관하 쇄월명
金鼓聲中花落盡　금고성중 화락진
前山何日看春耕　전산하일 간춘경

감상평

이 시(有感)는 꽃밭을 통해, 평화롭고 자유로운 세상을 꿈꿉니다. 꽃밭에 봄꽃이 만발한데, 젊은이들은 한숨만 쉬는 현실을 비판한다. 이는 백성들이 살기 좋은 세상을 꿈꾸지만, 현실은 암울하고 고통스럽다는 것을 뜻한다.

꽃밭을 통해, 아름다운 자연과 평화로운 세상을 노래하니, 평화롭고 자유로운 세상을 꿈꾸고 있음을 보여준다.

백성들의 고통을 노래하여 지개(芝蓋)가 돌아오지 않으니 백성들의 희망이 사라지고, 임금의 응답은 없으니 나라의 위엄이 빛을 잃었다고 말한다. 이는 백성들이 정치의 부패와 무능으로 인해 고통받고 있음을 뜻한다.

나라의 몰락을 표현하여 백 년 동안 닦아온 무기는 바람에 흩어지고 말았고, 천 겹 겹친 관료는 달빛 속에 잠겨 있다고 말한다. 이는 나라가 혼란과 부패로 인해 무너지고 있음을 뜻한다.

백성들의 고통으로 금고 치는 소리 속에 꽃은 떨어져 지고 있다고 말한다. 이는 백성들이 고통 속에서 살아가고 있음을 뜻한다.

마지막 부분에서 평화롭고 자유로운 세상을 꿈꿉니다. 언제쯤은 앞산에서 밭을 갈 수 있을까라는 표현은 백성들이 살기 좋은 세상을 꿈꾸고 있음을 보여준다.

궁궐의 슬픔

안개 걷히고 해 뜨자
겹대문 열리네13)
화각소리14) 울려 퍼지며
칼과 창 나뉘네

궐밖15)은 고량진미
흙더미처럼 쌓여 있고
궁궐안은16) 진주 비취
구름처럼 둘러싸여 있네

---

13) 원문(轅門):제왕이 순수(巡狩)하거나 사냥할 때 머무르던 곳에 수레
로 울타리를 만들고 출입하는 곳에 두 대의 수레를 양쪽
으로 세워 문처럼 만들어 놓은 것을 말한다. 여기서는 선
조가 임진왜란을 만나 의주로 파천하였다가 환도하였을
때 경복궁을 비롯한 모든 궁궐이 불에 타 임시로 월산대
군(月山大君)의 집이었던 지금의 덕수궁(德壽宮)을 행궁
(行宮)으로 삼은 것을 가리키는 듯하다.
14) 화각(畫角): 군중에서 사용하던 뿔피리를 말한다.
15) 행궁 안에 맛난 음식들이 잔뜩 쌓여 있다는 뜻이다. 외부는 관서 이
름으로 나라의 재물을 관리하는 곳이다.
16) 행궁 안에 비빈(妃嬪)이나 궁녀 들이 많이 거처하고 있다는 뜻이다.

호갈(虎鶡)17)에 벌레 생겨도
그 누가 기록하고
진사(塵沙)18)에서 눈물 흘리며
원망도 못 하네

산 위 초봉(楚烽)19)은
여전히 위급함을 알리고
수규(繡閨)20) 속 외로운 꿈
부질없이 은근하네

---

17) 호갈(虎鶡): 호갈은 호의(虎衣)와 갈관(鶡冠)으로, 무인(武人)이 착
   용하는 옷과 모자를 말한다. 이백(李白)의 〈고풍(古
   風)〉 여섯 번째 시에 "이와 서캐는 호갈에서 생겨나고,
   마음과 혼은 깃발을 따라간다.[蟣虱生虎鶡, 心魂逐旌旃.]"
   라고 하였다. 《李太白文集 卷1》
18) 진사(塵沙): 티끌과 모래로, 전쟁터를 뜻한다.
19) 초봉(楚烽): 초 지역에서 올리는 봉화로, 여기서는 왜적들이 아직 남
   아 있는 남쪽 해변 지역에서 올리는 봉화를 뜻한다.
20) 수규(繡閨): 아녀자들이 거처하는 화려한 장식으로 꾸민 방을 말하는
   데, 여기서는 출정 나간 군사들의 아내가 거처하는 방을
   뜻한다.

煙開日出啓重門　연개일출 계중문
畫角聲高劍戟分　화각성고 검극분
外府珍膏堆似土　외부진고 퇴사토
內庭珠翠擁如雲　내정주취 옹여운

蟲生虎鶡功誰記　충생호갈 공수기
淚落塵沙怨不言　누락진사 원불언
山上楚烽猶報急　산상초봉 유보급
繡閨孤夢謾慇懃　수규고몽 만은근

감상평

이 시(有感 時路出轅門)는 궁궐의 내부를 통해, 권력의 부패와 무능을 비판한다.

안개 걷히고 해 뜨자 겹대문이 열리며, 화각소리 크게 나며 칼과 창이 나뉘는 모습을 통해, 궁궐의 화려한 모습을 보여준다. 하지만, 외부에는 고량진미 흙더미처럼 쌓여 있고, 안에는 진주 비취 구름처럼 둘러싸여 있다는 것은, 궁궐의 내부가 부패와 무능으로 가득 차 있다는 것을 뜻한다.

또한, 호갈에 벌레 생겨도 누가 기록하랴, 진사에서 눈물 흘리며 원망 못 하네라는 부분은, 궁궐의 부패와 무능으로 인해, 백성들이 고통받고 있지만, 아무도 이를 기록하지 않고, 아무도 이를 해결하지 못하고 있다는 것을 뜻한다.

마지막 부분에서 산 위 초봉이 여전히 위급함을 알리지만, 수규 속 외로운 꿈은 부질없이 은근하다고 말한다. 이는 궁궐의 부패와 무능으로 인해, 나라가 위기에 처해 있지만, 아무도 이를 해결하지 못하고 있다는 것을 뜻한다.

덧없는 인생

하얀 백발이 서글프어
신선의 뗏목을 바라보네
꽃이 피어나니
남을 위한 기운이 일고
저녁 바람이 불어와
물결이 더 높아지네

먼 하늘에 외로운 새 사라지고
지는 해는
푸른 산을 홀로 비추네
우두커니 서서 먼 훗날 생각을 하니
그윽한 그 기약을 어쩔 수 없네

人間悲白髮　인간 비백발
天外望仙槎　천외 망선사
芳草起嵐氣　방초 기남기
夕風增水波　석풍 증수파

長空獨鳥沒 　장공 독조몰
落日靑山多 　낙일 청산다
佇立有遙想 　저립 유요상
幽期無奈何 　유기 무내하

감상평

이 시(偶吟)는 덧없는 인생을 노래한다. 하얀 백발이 서글프어 신선의 뗏목을 바라본다고 말한다. 이는 삶의 덧없음을 느끼고, 죽음 이후의 세계에 대한 갈망을 가지고 있음을 뜻한다. 또한, 꽃이 피어나며 남을 위한 기운이 일고 있다고 말한다. 이는 삶의 의미를 찾고자 하는 태도를 보여준다. 마지막 부분에서 먼 생각을 하니 그윽한 그 기약을 어쩔 수 없다고 말한다. 이는 삶의 덧없음을 인정하지만, 그럼에도 불구하고 삶에 대한 희망을 가지고 있음을 뜻한다. 특히, 마지막 부분은 시인의 삶에 대한 태도를 잘 드러낸다고 생각된다. 삶의 덧없음을 인정하지만, 그럼에도 불구하고 삶에 대한 희망을 가지고 있다는 태도를 보여준다. 이는 현대를 살아가는 우리들도, 삶의 덧없음을 인정하면서도, 삶에 대한 희망을 가지고 살아가야 한다는 것을 의미한다.

방랑자의 노래

천 리 길에 또다시 천 리 길이라
머리 세어 초수(楚囚) 신세[21]가 되었네
온 누리 봄이 와 한 빛깔이고
산은 바뀌어도 물은 서로 흐른다네

도(道)를 믿어 마음 지키기를 따르고
명예를 버려 외물에서 구하지 않네
시절 걱정에 부질없이 새벽이 되지만
고향을 그리는 시름만은 아니라네

千里又千里　천리 우천리
白頭爲楚囚　백두 위초수
天同春一色　천동 춘일색
山換水西流　산환 수서류

---

21) 초수(楚囚) 신세:타향을 떠돌면서 고향을 그리워하는 신세를 말한다.
　　초수는 춘추 시대 초(楚)나라 악관(樂官)인 종의(鍾儀)가 진(晉)나라
　　에 잡혀가서 갇혀 있을 때 진 혜공(晉惠公)이 그를 불러다가 여러 가
　　지 일을 물어보고 거문고를 주었더니, 그가 그곳에서도 자기 고향인
　　초나라의 음악을 탔다는 고사에서 온 말이다. 《春秋左氏傳 成公9年》

信道遵中守　신도 준중수
遺名斷外求　유명 단외구
念時空達曙　염시 공달서
不是故鄕愁　불시 고향수

감상평

이 시(書懷 廣寒樓前水皆西流)는 방랑자의 삶을 노래한다. 천 리 길을 떠나 방랑하며, 머리가 세어 초수 신세가 되었다고 말한다. 이는 세상을 떠돌며, 삶의 의미를 찾고자 하는 방랑자의 모습을 보여준다. 또한, 하늘은 같으니 봄은 한 빛깔이고, 산은 바뀌어도 물은 서로 흐른다고 말한다. 이는 세상의 본질은 변하지 않는다는 것을 뜻한다. 마지막 부분에서 때 걱정해 새벽까지 괜히 있나니, 고향을 그리는 시름만은 아니네라는 표현은 방랑자의 삶 속에서도, 고향에 대한 그리움과 세상에 대한 고민을 가지고 있음을 뜻한다. 특히, 마지막 부분은 시인의 방랑자에 대한 태도를 잘 드러낸다고 생각된다. 방랑자의 삶 속에서도, 고향에 대한 그리움과 세상에 대한 고민을 가지고 있다는 태도를 보여준다. 이는 현대를 살아가는 우리들도, 방랑자의 삶을 통해, 삶의 의미와 세상에 대한 고민을 생각해볼 수 있다는 것을 의미한다.

방황(彷徨)

대문 밖이 막막하여
가야 할 길 아득한데
눈 안에는 흐릿하게
요서(遼西)쪽이22) 보이누나

매화 꺾은 뒤로부터
잠 이루지 못하고는
밝은 달빛 속에
자규(子規) 울음 들리나

門外漠漠迷去路　문외막막 미거로
眼中依依見遼西　안중의의 견요서
自折梅花眠不得　자절매화 면부득
謾聽明月子規啼　만청명월 자규제

---

22) 요서(遼西):구봉 자신이 북쪽에 있는 서울 땅 혹은 임금을 그리워한
다는 뜻이다. 사랑하는 사람이 있는 곳을 말하는데, 여기서는 선조가
파천해 있는 의주(義州)를 가리킨다. 고시(古詩)에 "시녀 불러 까마귀
를 쫓아내어서, 나뭇가지 위에서 울지 못하게 한 건, 울어 대면 신첩의
꿈 놀라 깨어서, 임이 게신 요서 땅에 못 가서라네.[喚婢打鴉兒, 莫敎
枝上啼, 啼時驚妾夢, 不得到遼西.]"라고 하였다. 《詩人玉屑 卷5 詩要
聯屬》

감상평

이 시(有所思)는 방황하는 마음을 노래한다. 대문 밖이 막막하고, 가야 할 길이 아득함을 느낍니다. 또한, 매화 꺾은 뒤로부터 잠을 이루지 못하고, 자규 울음 소리만 들린다.

대문 밖이 막막하여 가야 할 길 아득한데라는 표현은 자신의 미래에 대한 불안과 걱정을 느끼고 있음을 뜻한다. 또한, 눈 안에는 흐릿하게 요서쪽이 보이누나라는 표현은 자신의 목표가 불분명하고, 갈 길을 잃고 있음을 뜻한다.

매화 꺾은 뒤로부터 잠 이루지 못하고는라는 표현은 매화 꺾은 뒤로부터, 마음이 불안하고 초조해졌음을 뜻한다. 또한, 밝은 달빛 속에 자규 울음만을 듣는구나라는 표현은 방황하는 마음을 달래기 위해, 자규 울음소리에 귀를 기울이고 있음을 뜻한다.

이 시를 읽고, 현대를 살아가는 우리들도, 방황하는 마음을 느낄 수 있을 것이고, 방황하는 마음을 극복하기 위해, 자신의 목표와 방향을 설정하고, 노력하는 것이 중요하다는 것을 생각해볼 수 있다.

방랑(放浪)

구만리나 먼 하늘에 밤기운은 맑고
조각구름 다 없어져 달빛 더욱 분명하네

세상에는 신선 자취 아는 엄자23)없거니와
뗏목 타고 천하(天河)24)까지 혼자서만 가는구나

九萬迢迢夜氣淸　구만초초 야기청
片雲飛盡月分明　편운비진 월분명
世無嚴子知仙迹　세무엄자 지선적
槎到天河只獨行　사도천하 지독행

---

23) 엄자(嚴子):한(漢)나라 때의 고사(高士)인 엄준(嚴遵)을 가리킨다. 엄준은 자가 군평(君平)으로, 벼슬하지 않고 은거하여 성도(成都)에서 점을 쳐 주며 지냈는데, 한 무제(漢武帝) 때 장건(張騫)이 뗏목을 타고 대하국(大夏國)에 사신으로 가는 길에 황하(黃河)의 근원을 찾아가다가 달포쯤 지나 한 곳에 이르러 베를 짜는 여자와 소를 끌고 물을 먹이는 남자를 만났는데, 뒤에 돌아와서 엄군평(嚴君平)에게 물어보니, 엄군평이 말하기를 "아무 해 아무 달에 객성(客星)이 견우성을 범했는데, 연월을 계산해 보니 바로 이 사람이 은하(銀河)에 이른 때이다."라고 하였다. 《荊楚歲時記》
24) 천하(天河):은하수를 가리킨다.

감상평

이 시(偶吟)는 방랑하는 마음을 노래한다. 먼 하늘의 달빛을 보며, 방랑의 길을 떠나고자 하고, 세상에 자신을 이해해줄 사람이 없다고 생각하며, 혼자서 방랑의 길을 떠난다.

구만리나 먼 하늘에 밤기운이 맑고라는 표현은 먼 하늘의 달빛을 보며, 방랑의 길을 떠나고자 하는 마음을 표현한 것이요, 조각구름 다 없어져 달빛 더욱 분명하네라는 표현은 방랑의 길을 떠나기 좋은 날씨라는 것을 뜻한다.

세상에는 신선 자취 아는 엄자없거니와라는 표현은 세상에 자신을 이해해줄 사람이 없다고 생각하는 마음을 표현한 것이요 또한, 뗏목 타고 천하까지 혼자서만 가는구나라는 표현은 혼자서 방랑의 길을 떠날 수밖에 없다는 것을 뜻한다.

이 시를 읽고, 현대를 살아가는 우리들도, 방랑하는 마음을 느낄 수 있을 것이다. 또한, 세상에 자신을 이해해줄 사람이 없다고 느낄 때, 혼자서라도 꿋꿋하게 나아가야 한다는 것을 생각해볼 수 있다.

병상(病床)에서

시서(詩書) 읽던 사람이 병들어 누워서
전쟁 통에 꿈에서도 자주 놀라네
지역이 바뀌매 고향 생각 더 깊어지고
시절이 위태로와 사업은 가벼워지네

밤 피리는 어느 산에서 울리어오고
변방 봉화 어느 바다에서 올리나
천하를 경륜(經綸)하는 사람 모두 칼을 찬다면
어느 누가 다시 민생을 생각하리오

詩書人臥病　시서 인와병
戎馬夢頻驚　융마 몽빈경
地換鄕愁轉　지환 향수전
時危事業輕　시위 사업경

夜角山何處　야각 산하처
邊烽海幾程　변봉 해기정
經綸皆帶劍　경륜 개대검
誰復念民生　수부 염민생

감상평

이 시(偶題)는 병상에 누워 전쟁의 참상을 노래한다. 시서(詩書)를 읽던 사람이 병들어 누워서, 전쟁 통에 꿈에서도 자주 놀란다고 말한다. 이는 전쟁의 참상을 직접 경험하고, 그로 인해 불안과 공포를 느끼고 있음을 뜻한다. 또한, 지역이 바뀌매 고향 생각 더 깊어지고, 시절이 위태해지니 하는 일은 가벼워진다고 말한다. 이는 전쟁으로 인해 고향을 떠나 타지에 머물게 되었고, 그로 인해 고향에 대한 그리움과, 세상에 대한 무력감을 느끼고 있음을 뜻한다. 마지막 부분에서 밤 피리는 어느 산에서 울리어오고, 변방 봉화 어느 바다에서 올리나, 경륜하는 사람 모두 칼을 찬다면, 어느 누가 다시 민생을 생각하리오라는 표현은 전쟁으로 인해 나라가 혼란스러워지고, 경륜 있는 사람들이 모두 전쟁에 참여하게 되어, 민생이 소홀히 다뤄지고 있음을 비판하고 있다.

고향에 대한 그리움

나는 진정 매화나무 흡사한 탓에
남쪽 오자 북쪽으로 가기가 싫네
서울 안에 복사 오얏 꽃피는 날에
누가 다시 나의 안부 물어 주려나

我似梅花樹　아사 매화수
南移厭北還　남이 염북환
長安桃李日　장안 도리일
誰復問孤寒　수부 문고한

감상평

이 시(偶吟)는 고향에 대한 그리움을 노래한다. 매화나무처럼 고향에 뿌리를 내리고 싶어 한다. 또한, 고향에 대한 그리움을 달래기 위해, 서울 안에 핀 복사 오얏 꽃을 바라본다.

이 시를 읽고, 현대를 살아가는 우리들도, 고향에 대한 그리움을 느낄 수 있을 것이다. 또한, 고향에 대한 그리움을 달래기 위해, 자연을 바라보거나, 누군가와 소통하는 것이 도움이 될 수 있다는 것을 생각해 볼 수 있다.

진정한 우정

꽃과 대(竹)가 모두
우로(雨露) 은혜 속에 자라지만
마음 속 기약을 서리 오기 전에
누가 믿으리오

태평할 때 함께 즐김은
어려운 일 아니거니
궁(窮)한 곳에서 평소 지킴이
굳은 것을 알게 되리

花竹咸生雨露天　화죽함생 우로천
心期誰信雪霜前　심기수신 설상전
太平同樂非難事　태평동락 비난사
窮處方知雅守堅　궁처방지 아수견

감상평

이 시(有感)는 진정한 우정에 대해 노래한다. 꽃과 대가 모두 우로 은혜 속에 자라지만, 서리 한번 오면 그들의 진정한 우정이 드러난다고 말한다. 이는 세상이 평온할 때는 누구나 우정을 말하지만, 어려움이 닥치면 그 우정이 시험받는다는 것을 뜻한다.

마음 기약 서리 오기 전에 누가 믿으리오라는 표현은 서리 한번 오면 그들의 진정한 우정이 드러나기 때문에, 세상이 평온할 때는 그 우정을 믿을 수 없다는 것을 뜻한다. 또한, 궁한 곳서 평소 지킴 굳은 것을 알게 되리라는 표현은 어려움이 닥쳤을 때, 그 우정이 얼마나 굳은지 알 수 있다는 것을 뜻한다.

남쪽으로

만 번 죽어 남쪽으로 나아가면
외로운 집과 차가운 지팡이

괴로움에 쌓인 삶
두견새가 곁에 있어주네

평온한 삶을 부러워하는
백로의 모습

萬死投南國　만사 투남국
孤棲竹杖寒　고서 죽장한
杜鵑悲獨苦　두견 비독고
鷗鷺羨長閑　구로 선장한

감상평

이 시(偶吟)는 남쪽으로 나아가는 화자의 모습을 통해 삶의 고난과 희망을 표현하고 있다.

외로운 집과 차가운 대지팡이라는 표현을 통해 화자가 겪고 있는 고난을 표현하고 있다. 외로운 집은 화자가 외롭고 고립된 상태를 의미하고, 차가운 대지팡이는 화자의 삶이 힘들고 고통스러운 것을 뜻한다.

두견새와 백로라는 표현을 통해 화자의 삶에 대한 태도를 표현하고 있다. 두견새는 화자의 고난을 애도하고 위로하는 존재를 의미하고, 백로는 화자의 평온한 삶을 부러워하는 존재를 뜻한다.

이 시를 통해 우리는 삶의 고난 속에서도 희망을 놓지 말아야 한다는 것을 생각해 볼 수 있다. 두견새처럼 화자의 고난을 함께 나누는 존재가 있다는 것, 그리고 백로처럼 화자의 평온한 삶을 부러워하는 존재가 있다는 것은 화자에게 큰 힘이 될 것이다.

개인적으로 이 시에서 가장 인상 깊은 부분은 두견새는 곁에 있어주고라는 표현으로 두견새가 화자의 고난을 함께 나누고 위로한다는 것을 뜻한다. 이는 화자에게 큰 위로와 힘이 될 것이다.

옛 친구

내 벗이 말했지
옛사람을 기약할 수 있다고
옛사람과 같이 하면
옛사람이 될 수 있다니
예와 지금은 다르지 않다네

말을 함에 믿음 없을 걸 경계하고
행실에 자신의 마음을 속이지 말고
자기를 이루고 또 남을 이롭게 하면
우리의 도가 여기에 있을 거라고 했네

그런 내 벗은
홀연히 먼저 죽어 떠나 가[25]
크나큰 뜻은 중도에서 어그러졌네
학문을 좋아하는 사람은 이제 없다네

---

25) 율곡(栗谷)의 이름은 이이(李珥)이고, 자는 숙헌(叔獻)이다. 도학(道學)
을 창도하여 일으켜서 장차 크게 무언가를 할 만하였는데, 우리 동방이 불
행하여 50세가 되기도 전에 죽고 말았다.

상심(傷心)은 나만 위해서가 아니고
서로 만나 질정을 나눌 이 이젠 없는데
홀로 남은 나도 역시 늙어 쇠했네

吾友謂吾曰　오우 위오왈
古人吾可期　고인 오가기
有爲卽其人　유위 즉기인
古今無異時　고금 무이시

出言戒無信　출언 계무신
行身惟不欺　행신 유불기
成己又成物　성기 우성물
吾道其在玆　오도 기재자

吾友忽先逝　오우 홀선서
大志中道虧　대지 중도휴
好學今也無　호학 금야무
傷心非爲私　상심 비위사

相觀更無質　상관경무질
隻影吾亦衰　척영오역쇠

감상평

이 시(有懷)는 그의 스승이자 친구였던 율곡 이이(1536-1584)의 죽음을 애도하는 시로 율곡이 살아 있을 때의 모습을 회상하며, 그가 추구했던 학문과 이상을 잃어버린 것에 대한 안타까움을 표현한다.

율곡이 옛사람을 기약할 수 있다고 말했는데 율곡이 옛 성현들의 학문과 삶을 본받아 현대 사회에 실천하고자 했다는 뜻으로 해석할 수 있다. 또한 예와 지금은 다르지 않다는 말은 옛 성현들의 가르침은 시대를 초월하여 유효하다는 율곡의 신념을 나타낸다.

　중간 부분에서 율곡이 추구했던 학문과 이상을 구체적으로 언급하면서 말을 함에 믿음 없을 걸 경계하고, 행실을 함에 자신의 마음을 속이지 말고, 자신을 이루고 또 남을 이롭게 한다면 우리의 도가 여기에 있을 것이라고 말했다. 이는 율곡이 도덕과 실천을 강조한 학자임을 보여주는 대목이다.

 마지막 부분에서 율곡의 죽음을 애도하며, 그가 남긴 학문과 이상이
사장될 것을 우려하였고, 크나큰 뜻은 중도에서 어그러졌네, 학문을
좋아하는 사람은 이제 없네라고 탄식했고, 또한 상심함은 나만 위해서
가 아니네라고 말하며, 율곡의 죽음이 자신뿐만 아니라 조선 사회 전
체의 큰 손실임을 강조하다.

이 시를 통해 우리는 율곡 이이의 학문과 이상에 대한 송구봉의 애틋
한 마음을 느낄 수 있다. 또한, 이 시를 통해 우리는 옛 선비들의 학
문과 삶에 대한 깊은 사유를 엿볼 수 있다.

충언(忠言)

비록 비방에 가까운 말26)이지만
그 진심은 임금을 걱정한 것뿐
바다가 넓어
정위(精衛) 새27)가 슬퍼했고
강이 깊어 초혼(楚魂)28)에도
원망이 일었네

그 충성은
칼날도 편히 여겼고
그 의기(義氣)는 성문29)을 움직였으리
형문 사는 늙은이 언급하다니
함께 앉아 있는 것이 부끄럽네

---

26) 광언(狂言):미치광이가 하는 말이라는 뜻인데, 여기서는 조헌이 상소
에서 말한 과격한 말들을 뜻한다.
27) 정위(精衛):염제(炎帝)의 막내딸 여와(女娃)가 동해에서 놀다가 빠져
죽어 변했다는 신화 속의 새이다. 이 정위 새가 동해에 대해 원한을
품고서 복수를 하려고 늘 서산(西山)의 목석(木石)을 물어다 빠뜨려
바다를 메우려 했다고 한다. 《山海經 卷3 北山經》
28) 초혼(楚魂):초(楚)나라 충신 굴원(屈原)의 넋을 말하는데, 송옥(宋
玉)은 굴원의 죽음을 불쌍히 여겨 그의 넋을 부르는 의미로 〈초혼(招
魂)〉을 지었다.
29) 성문(星文):천문(天文)과 같은 말로 별의 운행 현상을 말하는데, 흔
히 어떤 상황에 대한 별자리의 움직임을 뜻하는 말로 쓰인다.

狂言雖近訕　광언 수근산
誠意只憂君　성의 지우군
海闊悲精衛　해활 비정위
江深怨楚魂　강심 원초혼

忠能安白刃　충능 안백인
氣欲動星文　기욕 동성문
按及衡門老　안급 형문로
芳名愧竝存　방명 괴병존

감상평

이 시(偶題)는 충언(忠言)을 통해, 진정한 충성의 의미를 노래한다. 당시에 조식(1501~1572)이 충언으로 상소하였다가 기휘(忌諱)에 저촉되자, 백의 차림에 도끼를 지고 대궐 문 앞에 엎드려 죽여 주기를 청했는데, 그 상소문 가운데에서 매번 나에 관한 말을 했다고 들었기에 마지막 구절에서 언급하였다.

비록 비방에 가까운 말이지만, 그 진심은 임금을 걱정한 것이라는 표현은 진정한 충성은 임금을 위한 것이며, 비록 임금이 받아들이지 않더라도, 충성을 다해야 한다는 것을 뜻한다. 또한, 바다가 넓어 정위새가 슬퍼했고, 강이 깊어 초혼에 원망이 일었다고 말한다. 이는 진정한 충성은 목숨을 바칠 수 있는 것이며, 임금을 위해 희생할 수 있는 것임을 뜻한다.

마지막 부분에서 형문 사는 늙은이 언급하다니, 함께 앉아 있는 것이 부끄럽다고 말한다. 이는 자신의 충언이 부족함을 느끼고, 진정한 충성의 의미를 되새기고자 하는 태도를 보여준다.

특히, 마지막 부분은 시인의 충언에 대한 태도를 잘 드러낸다고 생각된다. 자신의 충언이 부족함을 느끼고, 진정한 충성의 의미를 되새기고자 하는 태도를 보여준다. 이는 현대를 살아가는 우리들도, 진정한 충성의 의미를 되새겨볼 수 있다는 것을 의미한다.

깨지지 않은 온전함

깨지지 않았는데
온전함을 구하지 말고,
위태로운 곳을 향해
편안하다 말하지 마라.
부귀는 하늘에 달렸으니
한 생각도 없고,
굴신(屈伸)은 내게 연유하니
깊은 잠에 맡겼다.

달이 막 뜨는 곳에서 거문고를 들고 기다리고,
꽃이 활짝 피는 때에 술잔을 들고 바라본다.
이 세상을 경영하는 일을
그 누구에게 묻겠는가?
유신30)의 밭 가는 노인
마음 아니 바뀠는데.

---

30) 상(商)나라의 명신(名臣)인 이윤(伊尹)을 가리키는 말이다. 이윤은
유신의 들판에서 농사를 짓다가 탕왕(湯王)의 초빙을 받고 조정에 들
어가 재상이 되어 왕업을 성취시켰다. 《맹자》 〈만장 상(萬章上)〉
에 "이윤은 유신의 들판에서 농사를 지으면서도 요순의 도를 즐겼다.
[伊尹耕於有莘之野, 而樂堯舜之道焉.]"라고 하였다. 여기서는 구봉 자
신을 가리키기도 한다.

不虧何用更求全　불휴하용 갱구전
休向危中說此安　휴향위중 설차안
富貴在天無一念　부귀재천 무일염
屈伸由我任高眠　굴신유아 임고면

月方生處携琴待　월방생처 휴금대
花正開時把酒看　화정개시 파주간
誰問世間經濟事　수문세간 경제사
有莘耕叟未幡然　유신경수 미번연

감상평

이 시(偶題)는 깨지지 않은 상태를 온전하다 여기지 말고, 위태로운 곳을 향해 편안하다 말하지 말라는 가르침을 담고 있다. 부귀와 굴신은 하늘에 달렸으니 한 치의 사심도 없고, 내게 연유하니 깊은 잠에 맡겼다고 한다. 달이 막 뜨는 곳에서 거문고를 들고 기다리고, 꽃이 활짝 피는 때에 술잔을 들고 바라본다고 하며, 이 세상을 경영하는 일을 누가 묻겠느냐며, 유신의 밭 가는 노인마음 그대로라고 했다.

이 시는 고전 형식을 현대적으로 바꾸어 표현했다. 고전시는 4음보나 5음보로 정해진 형식에 맞게 운율을 맞추어 시를 짓는 것이 일반적이다. 하지만 현대시는 자유로운 형식으로 시를 짓는 것이 일반적이니 고전 형식을 유지하면서도, 현대적인 감각을 살려 운율을 맞추어 시를 번역하고자 했다.

또한, 고전시는 주로 자연을 노래하는 시가 많다. 하지만 현대시는 인간의 삶과 사회를 노래하는 시가 많다. 고전 형식을 유지하면서도, 현대적인 주제를 담아내고자 했다.

이 시는 현대인들이 살아가면서 직면하는 다양한 문제들에 대한 해답을 제시해 준다. 깨지지 않은 상태를 온전하다 여기지 말라는 가르침은, 현실에 안주하지 않고 끊임없이 발전해 나가라는 의미요, 위태로운 곳을 향해 편안하다 말하지 말라는 가르침은, 위험을 무릅쓰고 도전해 나아가라는 의미다. 부귀와 굴신은 하늘에 달렸으니 한 생각도 말라는 가르침은, 물질적인 것에 집착하지 말고 마음의 평화를 추구하라는 의미요, 내게 연유하니 깊은 잠에 맡겨라는 가르침은, 세상의 모든 일은 내 의지대로 이루어지지 않으니 편안하게 받아들이라는 의미다.

달이 막 뜨는 곳에서 거문고를 들고 기다려라는 가르침은, 새로운 시작을 기다리며 설레어하라는 의미, 꽃이 활짝 피는 때에 술잔을 들고 바라봐라는 가르침은, 아름다운 순간을 소중히 여기라는 의미다. 이 세상을 경영하는 일을 누가 묻겠느냐는 가르침은, 세상의 모든 일은 내가 책임질 것이 아니니 내 삶에 집중하라는 의미요, 유신의 밭 가는 노인마음 그대로 살아라는 가르침은, 자연의 순리대로 살아가라는 의미입니다.

세상의 이치

마음은 우주(宇宙)를 바라보며
이치(理致)는 세상을 관찰하네
진한에는 유자(儒者)가 없어
학문이 끊어지고 상심했네
봉황은 덕을 기다리니31)
헛되이 울지 않겠는가

정자와 주자, 공자와 맹자
서로 다른 길을 걷지만
시대의 공정과 어둠이 달랐기에

말만 많아지고
유자(儒者)는 점점 줄어드니
나이 든 내가 언제
32)하청(河淸)을 볼 수 있을까

---

31) 한(漢)나라 가의(賈誼)의 〈조굴원부(弔屈原賦)〉에 "봉황은 천 길
   높이 날다가, 성인의 빛나는 덕을 보고 내려간다.[鳳凰翔于千仞兮, 覽
   德輝而下之.]"라고 하였다.
32) 탁한 황하의 물이 맑아진다는 뜻으로, 흔히 성군(聖君)이 출현하여
   태평성대를 이루는 조짐으로 여겼다. 《역위건착도(易緯乾鑿度)》 권
   하(卷下)에 "하늘이 상서로운 일을 내리려 할 적에 하수가 3일간 맑
   다."라고 하였다.

遊心宇宙興亡迹　유심우주 흥망적
察理公私進退形　찰리공사 진퇴형
秦漢無儒傷絶學　진한무유 상절학
鳳凰俟德豈虛鳴　봉황사덕 기허명

程朱孔孟殊煩簡　정주공맹 수번간
今古功程異晦明　금고공정 이회명
辭說漸多儒漸少　사설점다 유점소
白頭何日見河淸　백두하일 견하청

감상평

이 시(偶題)는 세상의 이치를 바라보는 자신의 태도를 노래한다. 마음은 우주를 바라보고, 이치는 세상을 관찰한다고 말한다. 이는 세상의 큰 그림을 바라보고, 그 속에서 자신의 삶의 의미를 찾고자 하는 태도를 보여준다.

진한(秦漢) 시대에 유자가 없어 학문이 끊어지고 상심했다고 말한다. 이는 유학의 전통을 중요하게 생각하고, 그 전통이 끊어지는 것을 안타까워하는 마음을 표현한 것이다.

봉황이 덕을 기다리니 헛되이 울지 않겠는가라는 표현은 덕을 구하는 자신의 의지를 표현한 것이다.

정자와 주자, 공자와 맹자가 서로 다른 길을 걷지만, 시대의 공정과 어둠이 달랐기에 그럴 수밖에 없었다고 말한다. 이는 시대의 조건에 따라 학문의 방향이 달라질 수 있다는 것을 인정하는 태도를 보여준다.

말만 많아지고 유자(儒者)는 점점 줄어든다고 말한다. 이는 세상이 혼란스러워지고, 진정한 학문의 전통이 끊어지고 있음을 비판하는 마음을 표현한 것이다.

마지막 부분에서 나이 든 자신이 언제 하청(河淸)을 볼 수 있을까라는 표현은 자신의 학문과 덕을 세상에 펼치고 싶은 마음을 표현한 것이다.

삶의 지혜

도리(道理)가 곧으면
은혜를 먼저 베풀고
마음이 깊으면
잘못을 쉽게 용서하네
공(功)은 천심으로써
상대방을 진압하고
일은 고요로써
시끄러움을 통제하네

믿음은 구름 속의 해와 같고
형체 없는 것은
비 갠 뒤의 기이한 것과 같네
시비(是非)는 진정 숨길 수 없는 것이니[33]
헝클어진 실 같다고 탄식하지 말게나

道直恩先貸 도직 은선대

情深枉易分 정심 왕이분

---

33) 《도덕경(道德經)》 제31장에 이르기를 "오직 도만이 잘 빌려주고
또 이루어 준다.[夫唯道./ 休歎若絲棼 善貸且成.]"라고 하였다.

功將天鎭物　공장 천진물
事以靜持喧　사이 정지훤
有信雲中日　유신 운중일
無形霽後氛　무형 제후분
是非眞不隱　시비 진불은
休歎若絲棼　휴탄 약사분

감상평

이 시(偶題)는 삶의 지혜를 노래하면서 도리가 곧으면 은혜를 먼저
베풀고, 마음이 깊으면 잘못을 쉽게 용서하라는 표현은 타인과의 관계
를 소중히 여기고, 화목한 사회를 이루기 위한 지혜를 제시하고 있음
을 뜻한다. 또한, 공(功)은 천심으로써 상대방을 진압하고, 일은 고요
로써 시끄러움을 통제하라고 하면서 세상을 살아가는 지혜를 제시하
고 있음을 뜻한다. 마지막 부분에서 시비(是非)는 진정 숨길 수 없는
것이니, 헝클어진 실 같다고 탄식하지 말라는 표현은 삶의 진실을 직
시하고, 좌절하지 않고 살아가야 한다는 지혜를 제시하고 있음을 뜻한
다. 특히, 마지막 부분은 시인의 삶에 대한 태도를 잘 드러낸다고 생
각된다. 삶의 진실을 직시하고, 좌절하지 않고 살아가야 한다는 태도
를 보여준다. 이는 현대를 살아가는 우리들도, 삶의 어려움을 직시하
고, 포기하지 않고 살아가야 한다는 것을 의미한다.

마음의 평화

맘 편하니 몸이 절로 편안해지고
분수 정해졌으니 또 무얼 바라랴
솔 아래서 오래도록 한가히 자고
시냇가를 느릿느릿 혼자서 걷네

도리어 또 일이 없는 즐거움으로
소리 높여 읊어가며 시를 짓누나
우리 도는 예나 지금이나 같은데
어느 누가 번거롭게 복희씨를 말하나

心安身自泰　심안 신자태
分定又何希　분정 우하희
松下閑眠久　송하 한면구
溪邊獨步遲　계변 독보지

還將無事樂 환장 무사락

吟作有聲詩 음작 유성시

吾道同今古 오도 동금고

誰煩說伏羲 수번 설복희

감상평

이 시(靜中 二首)는 마음의 평화를 노래한다. 마음이 편하니 몸이 절로 편안해지고, 분수가 정해졌으니 또 무얼 바라랴고 말한다. 이는 세상의 시끄러운 소음에서 벗어나, 마음의 평화를 찾은 모습을 보여준다. 또한, 솔 아래서 오래도록 한가히 자고, 시냇가를 느릿느릿 혼자서 걷는다고 말한다. 이는 자연 속에서 평화를 찾고 있음을 뜻한다. 마지막 부분에서 도리어 또 일이 없는 즐거움으로 읊조리어 소리 있는 시를 짓누나, 우리 도는 예나 지금이나 같은데, 어느 누가 번거롭게 복희씨를 말하나라는 표현은 세상의 복잡한 이치에 연연하지 않고, 마음의 평화를 추구하는 태도를 보여준다.

달빛 속의 고요

구름 걷혀 천 봉우리 고요만 하고
강은 비어 밤기운이 맑고도 맑네
외롭게 뜬 달만 오직 밤을 비추는데
마음 서글퍼 보니 되레 다정하구나

하늘 위엔 차고 기움 없을 것인데
인간 세상에는 어둠 밝음이 있네
차라리 큰 나무 따라 숨을지언정
뭇별들과 다투지는 부디 말거라

雲歛千峯靜　운렴 천봉정
江空夜氣清　강공 야기청
孤懸惟一照　고현 유일조
悵望却多情　창망 각다정

天上無圓缺　천상 무원결
人間有晦明　인간 유회명
寧從高樹隱　영종 고수은
莫許衆星爭　막허 중성쟁

감상평

이 시(對月吟)는 달빛 속의 고요를 노래한다. 구름이 걷히고, 강물이 비어 밤기운이 맑고 깨끗하다고 말한다. 이는 자연의 아름다움 속에서, 평화로운 마음을 느끼고 있음을 보여준다. 또한, 외롭게 뜬 달만 오직 빛을 비추는데, 마음이 서글퍼 보이지만, 되레 다정하다고 말한다. 이는 달빛의 아름다움에 감동하고 있음을 뜻한다.

마지막 부분에서 하늘 위엔 차고 기움 없을 것인데, 인간 세상에는 어둠 밝음이 있네, 차라리 큰 나무 따라 숨을지언정, 뭇별들과 다투지는 부디 말거라라는 표현은 세상의 번잡함과 갈등에서 벗어나, 자연 속에서의 삶을 추구하고 있음을 보여준다.

고요한 삶

흰머리에 연잎 옷을 입은 늙은이
구름 속 학만이 혼자서 사네
선기(善機)34)는 적막에서 다 드러나고
영뢰35)는 또 공허한 데서 울려오네

편안한 자취는
천방36)을 이웃했고
맑은 근원은 또 태초에 가깝구나
맑게 갠 창가에 아무 일 없듯
언제나
복희씨의 글37)을 마주하누나

---

34) 선기(善幾):선을 행하려는 기미를 말한다.
35) 영뢰(靈籟):바람 소리, 또는 자연의 소리를 말한다.
36) 천방(天放):남의 간섭을 받지 않고 자연 속에서 자유자재로 즐겁게
   살아가는 것을 말한다. 《장자(莊子)》 〈마제(馬蹄)〉에 "자연과 혼
   연일체가 되어, 한쪽에 치우친 삶을 살지 않는 것을 천방이라 한다.[一
   而不黨, 命曰天放.]"라고 하였다.
37) 복희씨(伏羲氏)의 글:역서(易書)를 말한다. 복희씨는 중국 고대 전설
   상의 제왕이다. 역(易)의 팔괘(八卦)를 그렸고, 그물을 발명해서 수렵
   과 어로의 방법을 가르쳤으며, 잡은 짐승이나 물고기를 불로 요리하는
   방법도 가르쳤다고 한다.

白髮荷衣老	백발 하의로
雲棲鶴獨居	운서 학독거
善幾呈寂寞	선기 정적막
靈籟響空虛	영뢰 향공허
逸迹隣天放	일적 인천방
澄源近太初	징원 근태초
晴窓無一事	청창 무일사
長對伏羲書	장대 복희서

감상평

이 시(閑居)는 고요한 삶을 노래한다. 흰머리에 연잎 옷을 입은 늙은 이가 구름 속서 학과 같이 혼자서 산다고 말한다. 이는 세상의 번잡함과 갈등에서 벗어나, 자연 속에서의 삶을 선택했음을 보여준다. 또한, 선기는 적막한 데서 다 드러나고, 영뢰는 또 공허한 데서 울려온다고 말한다. 이는 자연 속에서, 마음의 평화와 행복을 찾고 있음을 뜻한다. 마지막 부분에서 맑게 갠 창가에 아무 일 없듯 언제나 복희씨의 글을 마주하누나라는 표현은 자연 속에서, 삶의 의미와 가치를 찾고 있음을 보여준다.

세속의 번잡함

일천 봉의 하얀 눈은
티끌 없어 고요한데
한 오라기 향 연기가
이내 몸과 짝하누나

산 밖에는 세금 독촉 하는 일이 급하거니
이 세상에 한가한 자 있는 줄을 모르리라

千峯白雪静無塵　천봉백설 정무진
一炷香煙伴此身　일주향연 반차신
山外催租官事急　산외최조 관사급
不知人世有閑人　부지인세 유한인

감상평

이 시(偶吟)는 세속의 번잡함을 노래한다. 산속의 고요한 자연과 대비되는, 세속의 번잡함을 비판한다.

일천 봉의 하얀 눈은 티끌 없어 고요한데라는 표현은 산속의 눈이 티끌 하나 없이 고요하다는 것을 뜻한다. 이는 세속의 번잡함과 대비되는, 자연의 아름다움과 평화를 뜻한다.

한 오라기 향 연기가 이내 몸과 짝하누나라는 표현은 세속의 번잡함이 사람을 사로잡고 있다는 것을 뜻한다. 이는 세속의 욕심과 욕망이 사람을 속박하고 있다는 것을 뜻한다.

산 밖에는 세금 독촉 하는 일이 급하거니 이 세상에 한가한 자 있는 줄을 모르리라라는 표현은 세속의 번잡함 속에서, 진정으로 한가한 사람은 없다는 것을 뜻한다. 이는 세속의 욕심과 욕망으로부터 자유로운 사람은 없다는 것을 뜻한다.

이 시를 읽고, 현대를 살아가는 우리들도, 세속의 번잡함에서 벗어나, 진정한 평화를 찾을 수 있는 방법을 생각해볼 수 있다.

새로운 세상

구름이 걷히고 천둥이 멎자
해와 달이 다시 떠오른다
언로(言路)가 열리니 큰 길마저 좁아지고
국법(國法)이 세워지니 태산도 가볍네

석양에 막대기를 짚고 서 있는 것은
멀리서 온 사람이려나
고개를 돌려 구름을 보니
온 세상이 내게로 다가온다

천 리 밖의 광장(狂章)38)은
나를 괴롭히지 못하니
임금의 마음 공평하니 그렇지

---

38) 광장(狂章): 과격한 내용을 담은 상소로, 여기서는 조헌(趙憲)이
1586년(선조19) 10월 1일에 올린 상소를 말한다. 조헌은 이 상소에서
시사에 대해 극언(極言)하였으며, 그 가운데에는 도망 중에 있는 송익
필을 사면하고서 후생들을 가르치는 스승으로 삼으라는 내용이 있다.
《宣祖修正實錄 19年 10月 1日》

纖雲飛盡霽雷霆　　섬운비진 제뇌정
依舊中天日月明　　의구중천 일월명
言路再開周道狹　　언로재개 주도협
國經重植泰山輕　　국경중식 태산경

夕陽扶杖獨何事　　석양부장 독하사
回首望雲多遠情　　회수망운 다원정
千里狂章那困我　　천리광장 나곤아
聖心無滯若衡平　　성심무체 약형평

감상평

이 시(偶吟)는 억압과 혼란의 시기를 지나, 새로운 세상이 열리기를 바라는 마음이 담겨 있다.

구름이 걷히고 천둥이 멎자 해와 달이 다시 떠오른다고 말한다. 이는 억압과 혼란의 시기가 끝나고, 새로운 세상이 열리기를 바라는 마음을 표현한 것이다. 또한, 언로(言路)가 열리고 국법이 세워지기를 바라는 마음도 드러난다.

석양에 막대기를 짚고 서 있는 사람을 보며, 온 세상이 자신에게로 다가온다고 말한다. 이는 새로운 세상이 열리면, 모든 사람이 자유롭고 평등하게 살아갈 수 있다는 희망을 표현한 것이다.

마지막 부분에서 천 리 밖의 광장(狂章)은 자신을 괴롭히지 못한다고 말한다. 이는 새로운 세상에서는 억압과 혼란이 사라지고, 모든 사람이 공평하게 대우받을 수 있다는 확신을 표현한 것이다.

이 시는 조선 중기의 시대적 상황을 반영한 작품으로, 새로운 세상에 대한 희망과 기대를 담고 있다. 억압과 혼란의 시대를 지나, 자유롭고 평등한 세상이 열리기를 바라는 마음이 시인의 목소리를 통해 전해진다.

이때 조여식(趙汝式조헌)이 올린 상소가 임금의 노여움을 촉발하였으나 바로 처벌하지는 말라는 명이 있었다고 한다. 게다가 조여식의 상소는 장방평(張方平)이 소식(蘇軾)을 구제해 준 상소보다 더 심했다고 한다.

세상을 걱정하는 시인

세상과 등진 채 홀로 살지만
전쟁 소식이 들려온다
피 흘리는 사람들의 아픔이
내 가슴에 남는다
옥거문고를 타니
연꽃 향기가 코끝을 스친다
바닷새가 돌아와
대나무 그림자를 나눈다

지는 해는 아직도 노을 빛을 남기고
짙은 구름은 고갯마루를 넘어
하얀 구름과 마주한다
천하의 걱정[39]으로 눈물이 흐르니
봄바람에 실어 보내
묵은 걱정을 쓸어버리리

---

39) 송나라 인종(仁宗) 때의 명상(名相)인 범중엄(范仲淹)의 〈악양루기
(岳陽樓記)〉에 "선비는 의당 천하의 근심거리는 남보다 먼저 걱정하
고, 천하의 즐거운 일은 남보다 뒤에 즐거워해야 한다."라고 하였다.
《范文正集 卷7》

逃世深居獨不群　도세심거 독불군
兵戈遙聞血紛紛　병과요문 혈분분
瑤琴乍拂荷香入　요금사불 하향입
海鳥初歸竹影分　해조초귀 죽영분

斜日尙留花下照　사일상류 화하조
層陰還結嶺頭雲　층음환결 영두운
憂先天下雙行淚　우선천하 쌍행루
爲寄東風掃宿氛　위기동풍 소숙분

감상평

이 시(閑居)는 세상과 등진 채 홀로 살아가는 시적 화자가 전쟁 소식에 마음 아파하다가, 자연의 아름다움을 느끼며 걱정을 잊게 되는 과정을 그린 작품입니다.

세상과 등진 채 홀로 살아가지만, 전쟁 소식에 마음 아파하는 모습을 보여준다. 전쟁으로 인해 피 흘리는 사람들의 아픔을 생각하며 시적 화자의 마음은 답답하고 무겁다.

옥거문고를 타며 연꽃 향기를 맡고 바닷새를 바라보며 자연의 아름다움을 느낀다. 연꽃 향기는 시적 화자의 마음을 정화시키고, 바닷새는 시적 화자에게 위로를 전해준다.

지는 해와 짙은 구름을 바라보며 천하의 걱정에 눈물을 흘리니, 세상에 대한 걱정을 떨쳐버릴 수 없지만, 자연의 아름다움 속에서 잠시나마 위안을 얻는다.

마지막 연에서 봄바람에 걱정을 실어 보내겠다고 다짐, 봄바람이 걱정을 날려버리고, 새로운 희망을 가져다주기를 바란다.

이 시는 세상과 등진 채 홀로 살아가지만, 자연의 아름다움을 통해 걱정을 잊고 희망을 되찾는 모습을 보여준다. 이러한 모습은 현대 사회를 살아가는 우리들에게도 시사하는 바가 크다고 생각된다. 우리도 세상의 걱정으로 마음이 답답할 때, 자연의 아름다움을 통해 위안과 희망을 얻을 수 있을 것이다.

물외(物外)의 세상

맛이 담박하면 세상은 평평하다
세정(世情)은 가벼워
가는 것과 머무는 것은 자유롭다
공정(功程)은 풀이 자라는 것처럼 보이고
세도(世道)는 강물 흐르는 것과 같구나.
물외의 세상은
장생(張生)의 말40)과 같고
인간 세상은
범려(范蠡)의 배41)와 같구나.

---

40) 장생(莊生)의 말:장생은 장자(莊子)를 가리킨다. 이 말은 구봉이
《장자》 〈제물론(齊物論)〉에 "하늘과 땅은 하나의 손가락이요, 만
물은 하나의 말이다.[天地一指也, 萬物一馬也.]"라고 한 말을 잘못 인
용한 것이다. 구봉이 이렇게 잘못 인용하게 된 것은 당나라 시인 고적
(高適)의 〈상진좌상(上陳左相)〉에 "천지는 장생의 말이요, 강호는
범려의 배이다.[天地莊生馬, 江湖范蠡舟.]"라고 한 구절을 그대로 따온
탓이다. 이에 대해서는 중국 사람들이 고적의 시를 평하면서 잘못이라
고 말한 바 있다. 《詩話總龜 後集 卷13》

41) 범려(范蠡)의 배: 벼슬자리에 있다가 때에 맞게 은퇴하면서 관직에
연연하지 않는 것, 또는 심경(心境)이 한가로워 강호에 배를 띄우는
것을 뜻하나, 여기서는 인간 세상의 무상함을 뜻한다. 범려는 춘추 시
대 월(越)나라의 대부로, 월왕 구천(句踐)을 20여 년간 섬기면서 오
(吳)나라를 멸망시켜 회계(會稽)의 치욕을 씻었다. 그 뒤 월나라를 떠
나 조각배를 타고 강호를 떠돌아다니다가 수천만 금(金)을 모아 거부
(巨富)가 되었다. 《史記 貨殖列傳》

높이 날아오르는 것도 즐겁지만
조용히 앉아 있는 것도 근심을 잊게 하지

味淡無夷險　미담 무이험
情輕任去留　정경 임거류
功程看草長　공정 간초장
世道付江流　세도 부강류

物外莊生馬　물외 장생마
人間范蠡舟　인간 범려주
高翔雖可樂　고상 수가락
靜坐亦忘憂　정좌 역망우

감상평

이 시(靜坐)는 맛이 담박하면서 간결한 언어로 삶의 진리를 표현하고 있는 작품입니다.

맛이 담박하면이라는 표현을 통해 단순함의 아름다움을 표현하고 있다. 맛이 담박하다는 것은 맛이 깊고 진하지 않다는 뜻으로 음식의 맛을 표현하는 것처럼 보이지만, 더 넓은 의미에서 삶의 방식을 의미한다고 볼 수 있다. 단순한 삶을 추구하는 사람은 욕심이 적고, 갈등이 적기 때문에 세상이 평평해 보일 것이다.

공정(功程)은 풀이 자라는 데에 보이고, 세도(世道)는 강물 흐르는 데에 부치네라는 표현을 통해 자연의 질서를 강조하고 있다. 공정은 정의롭고 바르게 처리하는 일을 의미하고, 세도는 권세나 빽으로 일을 처리하는 일을 뜻한다. 자연에서는 풀이 자라는 데에는 공정이 있고, 강물이 흐르는 데에는 세도가 있다. 마찬가지로 인간 세상에서도 공정과 세도가 존재해야 한다는 것이다.

물외의 세상은 장생(張生)의 말이고, 인간 세상은 범려(范蠡)의 배와 같다라는 표현을 통해 물외의 세상과 인간 세상의 차이를 표현하고 있다. 물외의 세상은 현실 세계를 벗어난 이상적인 세계를 의미하고, 범려의 배는 현실 세계를 뜻한다. 물외의 세상은 자유롭고 평화로운 곳이지만, 인간 세상은 제약과 갈등이 존재하는 곳이다.

높이 날아오르는 것도 즐겁지만, 조용히 앉아 있는 것도 근심을 잊게 하네라는 표현을 통해 삶의 다양한 모습을 표현하고 있다. 높이 날아오르는 것은 적극적인 삶을 의미하고, 조용히 앉아 있는 것은 소극적인 삶을 뜻한다. 적극적인 삶은 즐거움을 줄 수 있지만, 소극적인 삶도 근심을 잊게 해 줄 수 있다는 것이다.

이 시를 통해 우리는 단순함의 아름다움, 자연의 질서, 물외의 세상과 인간 세상의 차이, 삶의 다양한 모습을 생각해 볼 수 있다.

개인적으로 가장 인상 깊은 부분은 맛이 담박하면 세상은 평평하다라는 표현으로 단순함이 세상을 평화롭게 한다는 의미를 담고 있다. 현대 사회는 복잡하고 빠르게 변화하고 있다. 이러한 사회 속에서 우리는 때때로 삶의 의미와 가치를 잃어버리곤 하다. 이 시를 통해 우리는 단순함의 중요성을 되새기고, 삶의 평화를 추구할 수 있기를 바래본다.

세상의 풍파

독성(獨醒)42)도 아니고
삼출(三黜)43)도 아니지만
전현(前賢)을 보면 부끄러워라
시름 속에 머리카락 다 빠졌는데
학 탄 신선 부질없이 그리워하네
이내 일신 오랜 세월 나그네거니
세상만사 그 모두가 천운인 거네
흠 있으매44) 밝은 달을 바라다보고
끝없으매 냇물 보며 탄식을 하네

---

42) 구봉 자신이 유배지에서 홀로 깨어 있기는 하지만, 초(楚)나라의 굴원(屈原)처럼 임금에게 충간(忠諫)하였다가 조정에서 쫓겨난 것은 아니라는 뜻이다. 독성은 세상 사람들이 다 취해 있는데 홀로 깨어 있다는 뜻으로, 세속에 휩쓸리지 않는 사람을 말한다. 굴원의 《초사(楚辭)》 〈어부(漁父)〉에 "온 세상이 모두 탁하거늘 나 홀로 맑으며, 뭇사람 모두 취했거늘 나 홀로 깨어 있어, 이 때문에 쫓겨났도다.[擧世皆濁我獨淸, 衆人皆醉我獨醒, 是以見放.]"라고 하였다.

43) 구봉 자신이 조정에서 버림받고 귀양살이를 하고 있으나, 곧은 도로 임금을 섬기다가 쫓겨난 것이 아니기에 유하혜(柳下惠)를 보기에 부끄럽다는 뜻이다. 삼출은 원칙대로 행동하다가 조정에서 미움을 받고 계속해서 쫓겨난 것을 말한다. 《논어》 〈미자(微子)〉에 "도에 입각해서 사람을 섬긴다면 어디 간들 세 번 쫓겨나지 않겠는가. 만약 도를 굽혀서 사람을 섬긴다면 굳이 부모의 나라를 떠날 이유가 있겠는가."라고 한 유하혜의 말이 나온다.

44) 구봉 자신이 허물이 있으매 밝은 달을 보면서 밝은 달처럼 허물이 없기를 생각하고, 흘러가는 물을 보면서 자신의 떠돌이 생활이 물이 쉼 없이 흘러가는 것처럼 끝이 없음을 탄식한다는 뜻이다.

獨醒非逐子　독성 비축자
三黜愧前賢　삼출 괴전현
落盡愁中髮　낙진 수중발
空懷鶴上仙　공회 학상선

一身長作客　일신 장작객
萬事總關天　만사 총관천
有缺看明月　유결 간명월
無窮歎逝川　무궁 탄서천

감상평

이 시(偶題)는 세상의 풍파에 휘말리지 않으면서도, 세상에 대한 안타까움을 노래한다.

독성(獨醒)도 아니고 삼출(三黜)도 아니지만, 전현(前賢)을 보면 부끄러워한다고 말한다. 이는 세상의 부조리에 대해 비판하는 태도를 보여준다. 또한, 시름 속에 머리카락 다 빠졌는데, 학 탄 신선을 부질없이 그리워한다고 말한다. 이는 세상의 허무함에 대해 안타까워하는 태도를 보여준다.

마지막 부분에서 이내 일신 오랜 세월 나그네거니, 세상만사 그 모두가 천운인 거네라는 표현은 세상의 풍파에 휘말리지 않으면서도, 세상에 대한 안타까움을 담담하게 받아들이는 태도를 보여준다.

특히, 마지막 부분은 시인의 세상에 대한 태도를 잘 드러낸다고 생각된다. 세상의 풍파에 휘말리지 않으면서도, 세상에 대한 안타까움을 담담하게 받아들이는 태도를 보여준다. 이는 현대를 살아가는 우리들도, 시인의 세상에 대한 태도를 통해, 세상을 바라보는 시각을 생각해 볼 수 있다는 것을 의미한다.

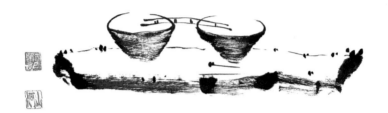

세상을 걱정하며

이 세상 걱정되어
하늘을 보고
사람을 만나면
전쟁 소식을 묻네

농사지어 보려 해도
머리가 하얗게 세었고
병들어 누웠어도
달은 밝아져 가네

이름을 감추려고
관우(關牛)를 타고 갔고[45]
빛을 숨기려고
야인들과 자리를 다뤘네[46]

---

45) 이름을 숨기려고 깊은 곳으로 들어갔다는 뜻이다. 관우(關牛)는 함곡
    관(函谷關)의 소로, 노자(老子)가 타고 다니던 청우(靑牛)를 말한다.
46) 재주를 드러내지 않고 꾸밈없는 태도로 서민들과 어울리는 것을 말
    한다. 춘추 시대 양자거(陽子居)라는 사람이 일찍이 여관에 묵을 적에
    처음에는 그가 예모를 엄격히 차린 까닭에 사람들이 모두 그를 두려워
    하여 매우 조심스럽게 대접을 했는데, 그가 노자(老子)의 가르침을 받
    고 나서 소탈한 태도를 보인 이후로는 사람들이 그와 더불어 좋은 좌
    석을 서로 다툴 정도로 친숙해졌다고 한다. 《莊子 寓言》

권서(卷舒)47)가 내 손 안에 있음 알 거니
풍성하고 간략함을 뭘 신경 쓰랴

憂世觀天象　우세 관천상
逢人每問兵　봉인 매문병
爲農頭已白　위농 두이백
臥病月生明　와병 월생명

名隱關牛去　명은 관우거
光潛野老爭　광잠 야로쟁
卷舒知在手　권서 지재수
豐約豈攖情　풍약 기영정

---

47) 권서(卷舒):나아가고 물러남을 뜻하기도 하고 숨거나 드러냄을 뜻하
기도 하는데, 여기서는 숨거나 드러냄을 뜻한다. 당나라 한유(韓愈)의
〈견흥연구(遣興聯句)〉에 "거백옥과 영무자는 권서를 알았고, 공자와
안자는 행장을 알았다.[蘧、甯知卷舒, 孔、顏識行藏.]"라고 하였다.
《孟東野詩集 卷十》

감상평

이 시(書懷)는 세상을 걱정하며, 자신의 처지를 노래한다.

세상을 걱정하여 하늘을 보고, 사람을 만나면 전쟁 소식을 묻는다고 말한다. 이는 세상의 평화를 바라는 마음을 드러냅니다. 또한, 농사지어 보려 해도 머리가 세었고, 병들어 누웠어도 달은 밝아져 간다고 말한다. 이는 세상의 변화에 무력감을 느끼고 있음을 뜻한다.

마지막 부분에서 이름을 감추려고 관우(官牛)를 타고 갔고, 빛을 숨기려고 야인들과 자리를 다퉜다고 말한다. 이는 세상에서 자신의 존재를 드러내지 않으려는 태도를 보여준다. 또한, 권서(卷舒)가 내 손 안에 있음 알 거니, 풍성하고 간략함을 뭘 신경 쓰랴라는 표현은 자신의 생각과 마음이 세상과는 다르다는 것을 깨닫고, 세상의 평가에 연연하지 않는 태도를 보여준다.

특히, 마지막 부분은 시인의 세상에 대한 태도를 잘 드러낸다고 생각된다. 자신의 생각과 마음이 세상과는 다르다는 것을 깨닫고, 세상의 평가에 연연하지 않는 태도를 보여준다. 이는 현대를 살아가는 우리들도, 시인의 세상에 대한 태도를 통해, 세상을 바라보는 시각을 생각해 볼 수 있다는 것을 의미한다.

집과 나라

집과 나라를 나누어
서로 다른 둘로 보지만
나라가 위험하면
집도 보전 못 함을
뉘 믿으랴

물새는 물고기를 찾지 않고
물을 찾는 것이며
마을 양은 풀을 그리지 않고
산을 그리지 아니하던가

신선 세계 붉은 복사꽃은
봄기운이 한창이고
갠 하늘의 밝은 달은
바다 가득 넘실대네
남과 함께 즐기려고 해도
내겐 계책 없어
청풍 속에 배 띄우니
만고 길이 한가하네

家國分爲二物看　가국분위 이물간
國危誰信保家難　국우수신 보가난
尋魚沙鳥非尋水　심어사조 비심수
戀草村羊不戀山　연초촌양 불연산

仙界紅桃春浩浩　선계홍도 춘호호
霽天明月海漫漫　제천명월 해만만
與人同樂吾無計　여인동락 오무계
一棹淸風萬古閑　일도청풍 만고한

감상평

이 시(偶題)는 집과 나라를 분리하여 생각하는 사람들을 비판하고 있다. 나라가 위험하면 집도 보전할 수 없음을 강조하다. 이는 나라가 집의 근간(根幹)이라는 것을 뜻한다.

물새와 마을 양의 예를 들어 나라와 집의 관계를 설명한다. 물새는 물고기를 찾지 않고 물을 찾는 것처럼, 사람은 집을 찾기 전에 나라를 찾는 것이 자연스러운 일이라고 하고, 마을 양은 풀을 그리지 않고 산을 찾는 것처럼, 사람은 집을 그리기 전에 나라를 그리게 된다는 것이다.

신선 세계의 봄기운과 밝은 달을 감상하면서 세상을 떠나고 싶은 마음을 표현한다. 하지만 현실에 안주하지 않고 세상을 바꾸기 위해 노력하려는 모습을 보여준다.

특히, 마지막 부분은 나라의 안정을 위해 노력할 수 없는 자신의 처지를 표현한다. 남과 함께 즐기려고 해도 내겐 계책 없어라는 표현은 나라의 안정을 위해 노력할 수 있는 능력이 없음을 의미한다. 하지만 청풍 속에 배 띄우니 만고 길이 한가하네라는 표현은 나라의 안정을 위해 노력하지 못하는 것에 대해 아쉬워하면서도, 자연 속에서 평온한 삶을 추구하겠다는 태도를 보여준다.

시인의 꿈

가죽끈이 세 번 끊어진 후
누가 다시 주역(周易)을 읽었을까[48]
흰 구슬에 티 없으면 진짜 보배이고
담담한 빛의 황금은 진정 태평할까

사람이 해야 할 일 중[49] 그칠 것은
천하의 부쟁명(不爭名)[50]을 이루는 것이요
조각배 탄 백발, 건곤에 늙어가며
파도 깊은 창해에서 세월의 빠름에 놀라누나

可惜韋編三絶後 가석위편 삼절후
古今誰復讀義經 고금수부 독희경

---

48) 공자(孔子) 이후로는 《주역》을 탐독하는 사람이 없었다는 뜻이다.
49) 제일사(第一事)는 사람에게 가장 중요한 일이라는 뜻으로, 부귀와 명
   예를 추구하지 않고 오로지 심신을 수양하여 깨끗하게 자신의 지조를
   지키는 일을 말한다. 《근사록(近思錄)》 권14 〈관성현(觀聖賢)〉에
   "맹자가 이르기를 '사람은 누구나 요순이 될 수 있다.'라고 하고, 또 이
   르기를 '내가 원하는 바는 공자를 배우는 것이다.'라고 하였다. 옛사람
   은 일찍이 제일등(第一等)의 일을 제일등의 사람에게도 양보하지 않았
   다."라고 하였다.
50) 부쟁명(不爭名):공명을 다투지 않는 것을 말한다.

白圭無點爲眞寶　백규무점 위진보

淡色黃金豈太平　담색황금 기태평

休讓人間第一事　휴양인간 제일사

期成天下不爭名　기성천하 부쟁명

扁舟白髮乾坤老　편주백발 건곤로

滄海波深歲月驚　창해파심 세월경

감상평

이 시(自歎)는 세상을 바꾸고자 하는 시인의 꿈을 보여준다. 가죽끈이 세 번 끊어진 후, 더 이상 《주역》을 읽는 사람이 없다고 말한다. 이는 세상이 혼란스럽고, 세상을 바꾸고자 하는 사람이 없다는 것을 뜻한다. 또한, 흰 구슬에 티 없으면 진짜 보배이고, 담담한 빛의 황금은 진정 태평할까라는 표현은 세상이 혼란스러운 것은, 사람들이 진정한 가치를 잊고, 세상을 바꾸고자 하는 노력을 하지 않기 때문이라는 것을 뜻한다. 마지막 부분에서 조각배 탄 백발 노인이 천지에서 늙어 가며, 파도 깊은 창해에서 세월의 흐름에 놀라누나라는 표현은 세상을 바꾸고자 하는 꿈을 이루지 못하고, 세월이 흘러가는 것을 안타까워하는 마음을 보여준다. 특히, 마지막 부분은 시인의 삶에 대한 태도를 잘 드러낸다고 생각된다. 세상을 바꾸고자 하는 꿈을 이루지 못하고, 세월이 흘러가는 것을 안타까워하지만, 포기하지 않고, 계속해서 세상을 바꾸고자 하는 노력을 할 것이라는 태도를 보여준다.

백성 구제의 염원

어느 누가 다시
백성 구제할 수 있으려나
방 안에서 의자에 기대자
끝없는 마음 일렁이네

봄날의 꿈 절반이나
풍우 따라 흩어지니
서울 땅의 꽃과 달은
분명치가 아니하네

何人能復濟生靈　하인능부 제생령
隱几堂中萬里情　은궤당중 만리정
春夢半隨風雨散　춘몽반수 풍우산
洛陽花月未分明　낙양화월 미분명

감상평

이 시(獨臥)는 백성 구제의 염원을 노래한다. 세상이 혼란스러운 상황에서, 백성을 구할 수 있는 이가 없음을 탄식하는데, 봄날의 꿈이 풍우에 흩어지듯, 백성들의 희망이 사라져가는 것을 안타까워한다.

어느 누가 다시 백성 구제할 수 있으려나라는 표현은 세상이 혼란스러운 상황에서, 백성을 구할 수 있는 이가 없음을 탄식하는 표현으로 백성들을 구하기 위해, 많은 사람들이 노력했지만, 모두 실패했다고 생각한다.

봄날의 꿈 절반이나 풍우 따라 흩어지네라는 표현은 봄날의 꿈이 풍우에 흩어지듯, 백성들의 희망이 사라져가는 것을 안타까워하는 표현이다. 백성들이 봄날의 꿈처럼, 희망을 가지고 살아가기를 바라지만, 현실은 그렇지 않음을 안타까워한다.

서울 땅의 꽃과 달은 분명치가 아니하네라는 표현은 서울 땅의 꽃과 달이 희미하게 보이는 것처럼, 백성들의 희망이 사라져가는 것을 표현한 것이다. 백성들의 희망이 사라져가는 것은, 세상이 혼란스럽고 어두운 것을 의미한다.

이 시를 읽고, 현대를 살아가는 우리들도, 백성 구제의 중요성에 대해 생각해볼 수 있다. 또한, 세상이 혼란스러운 상황에서도, 희망을 잃지 말고 살아가야 한다는 것을 생각해볼 수 있다.

무상(無常)함

휘파람 불며 우러르니
하늘 넓어 아득하고
너른 바다 굽어보니
바다는 또 끝이 없네

그 사이에 홀로 서매
아무 일도 없거니와
되레 흥폐(興廢) 다투었던
영웅들을 비웃노라

長嘯仰天天浩浩　장소앙천 천호호
俯臨滄海海無窮　부림창해 해무궁
獨立此間無一事　독립차간 무일사
却將興廢笑英雄　각장흥폐 소영웅

감상평

이 시(獨立)는 무상함을 노래한다. 하늘과 바다의 광활함을 통해, 세상의 무상함을 느낍니다. 또한, 세상의 영웅들을 비웃음으로써, 무상함을 극복하려고 한다.

휘파람 불며 우러르니 하늘 넓어 아득하고라는 표현은 하늘이 너무나 넓고 높아, 인간의 한계를 느끼게 한다는 것을 뜻한다. 또한, 너른 바다 굽어보니 바다는 또 끝이 없네라는 표현은 바다가 너무나 넓고 깊어, 인간의 이해를 넘어선다는 것을 뜻한다.

그 사이에 홀로 서매 아무 일도 없거니와라는 표현은 인간은 하늘과 바다 앞에 너무나 작고 보잘것없다는 것을 뜻한다. 또한, 되레 흥폐 다투었던 영웅들을 비웃노라라는 표현은 세상의 영웅들조차도 결국은 무상한 존재라는 것을 뜻한다.

이 시를 읽고, 현대를 살아가는 우리들도, 세상의 무상함을 느낄 수 있을 것이다. 또한, 세상의 무상함을 극복하기 위해, 삶의 의미와 가치를 찾고자 노력할 수 있을 것이다.

시인의 시선

문치(文治)와 무력(武力)은 다르지만
진(秦)은 가장 잔인했고 한(漢)은 그나마 나았다
왜적들이 쳐들어왔는데도
나라를 위해 목숨을 바치는 사람은 드물었다
나이가 들어도 경전을 읽는 것은 즐겁지만
굶어 죽는 백성들의 슬픔은 가슴 아프다
몇 년 동안 검을 잡고 작은 용기 자랑했나
남을 치고 처리하는 것을 용맹으로 여겼지

耀德觀兵策不同	요덕관병 책부동
狂秦無下漢無中	광진무하 한무중
臨河飮馬多驕虜	임하음마 다교로
握節捐軀少效忠	악절연구 소효충
窮經白首全吾樂	궁경백수 전오락
塡壑蒼生嘆爾窮	전학창생 탄이궁
撫劍幾年誇小勇	무검기년 과소용
伐人謀處是爲功	벌인모처 시위공

감상평

이 시(有感)는 문치(文治)와 무력(武力)을 모두 중요하게 생각하지만, 현실에서는 문치보다 무력이 더 우선시되는 것을 비판하고 있다. 또한, 나라를 위해 목숨을 바치는 사람은 드물고, 굶어 죽는 백성들의 고통은 외면당하고 있는 현실에 대해서도 안타까움을 표하고 있다.

이 시를 통해 우리는 문치와 무력의 균형을 이루는 것이 중요하다는 것을 다시 한번 생각해 볼 수 있다. 또한, 나라를 위한 진정한 충성은 무력만으로 이루어지는 것이 아니라는 것을 깨달을 수 있다.

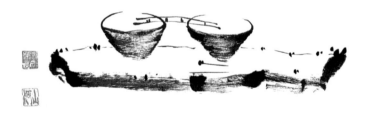

숨겨진 꽃

풀들이 외로움 속에서 꽃을 뒤덮었지만,
그 속에서 흐르는 깊은 향기를
어찌 없앨 수 있을까요.
한밤중에 내린 흰 이슬은 조용히 적셔지고,
맑은 바람은 아침과 저녁에 불어와서,
내 마음을 곧게 지켜주고 있다.
주변의 사람들이 알아차리지 못하도록
나의 진심을 스스로 간직하며 살아가련다.

衆草翳孤芳　중초 예고방
幽香何損益　유향 하손익
白露滴夜半　백로 적야반
清風吹日夕　청풍 취일석
貞心空自持　정심 공자지
不許傍人識　불허 방인식

감상평

이 시(有懷)는 풀들에 둘러싸여 외로움을 느끼는 꽃을 주인공으로 하고 있다. 풀들이 꽃을 뒤덮었지만, 그 속에서 흐르는 깊은 향기는 어찌 없앨 수 없음을 노래한다. 한밤중에 내린 흰 이슬은 꽃을 조용히 적셔주고, 맑은 바람은 아침과 저녁에 불어와서 꽃의 마음을 곧게 지켜준다. 꽃은 주변의 사람들이 알아차리지 못하도록 자신의 진심을 스스로 간직하며 살아가기 때문이다.

이 시는 외로움을 느끼는 사람들의 마음을 잘 표현하고 있다. 풀들에 둘러싸인 꽃은 외로움의 상징으로 풀들은 꽃을 가리막처럼 가로막고 있으며, 꽃은 그 속에서 빛을 발하지 못하고 있다. 하지만 꽃은 자신의 진정한 모습을 숨기지 않고, 깊은 향기를 뿜어내며 살아가니 외로움을 느끼는 사람들도 자신의 진정한 모습을 숨기지 않고, 당당하게 살아가야 함을 의미한다고 볼 수 있다.

전반적으로 이 시는 외로움을 느끼는 사람들의 마음을 잘 표현하고 있으며, 자연의 아름다움도 함께 표현하고 있는 좋은 시라고 생각한다.

반달 아래

반달 아래 매화나무
한 가지의 꽃만 피어나
조물주도 시기하네

빈 방의 밝은 빛은
밖에서 오는 것이 아니고
당(堂)의 봄기운은[51]
하늘에서 오는 것이 아니네

세월은 풍화처럼
잠시 지나가고
하해(河海) 같은 흉금(胸襟)은
만고토록 열렸어라

객이 오면 치란(治亂)의 일
논하지도 않고

---

51) 사람의 정신이 맑아 욕심이 없으면 도심(道心)이 절로 생기는 것을
뜻한다. 《장자》 〈인간세(人間世)〉에 "저 뚫린 벽을 보건대 방이
비면 안에 흰빛이 있고, 거기에는 길한 징조가 깃들어 있다."라고 하였
는데, 방이 비었다는 것은 물욕이 전혀 없는 텅 빈 마음을 비유하고,
흰빛은 도(道)를 비유한다.

당우(唐虞) 때52)의 겸양은
석 잔의 술이면 된다네

半輪明月一枝梅　　반륜명월 일지매
長占無爲造物猜　　장점무위 조물시
虛室白非由外得　　허실백비 유외득
滿堂春不自天來　　만당춘불 자천래

風花勢利須臾盡　　풍화세리 수유진
河海胸襟萬古開　　하해흉금 만고개
客至休論治亂事　　객지휴론 치란사
唐虞謙讓酒三杯　　당우겸양 주삼배

---

52) 요 임금과 순 임금은 천자의 지위를 사양하기를 술 석 잔을 사양하
는 것처럼 가볍게 하였다는 뜻이다. 당우는 요 임금과 순 임금을 가리
킨다. 송나라의 학자인 소옹(邵雍)의 〈수미음(首尾吟)〉에 "요순이
사양한 것은 석 잔 술이고, 탕무가 싸운 것은 한 판 바둑이다.[唐虞揖
讓三盃酒, 湯武交爭一局棋.]"라고 하였는데, 이 시는 천자의 지위를 선
양한 요순의 겸손한 기상을 말한 시라고 한다. 《擊壤集 卷20》

은거의 즐거움 1

이 몸 늙어 서로 아는 사람은 없고
숨어 살아 세상 분란 다 끊었다네
산꽃에는 아침 햇살 밝게 비추고
못 풀에는 밤 구름 생겨나누나

달밤에 앉아 아름다운 전자53)보면서
바람 맞아 기이한 향 구분을 하네
어둡고 밝게 함은 내 힘이 아니매
세상 일 모두 다 아침저녁에다 부치네54)

身老無相識 신로 무상식
幽居絶世紛 유거 절세분
山花朝映日 산화 조영일
池草夜生雲 지초 야생운

---

53) 향 연기나 구름 등이 꼬불꼬불 대면서 피어오르는 것을 말한다.
54) 이 세상의 일을 수시로 변하는 데 따라 그대로 수응한다는 뜻이다.

坐月看瑤篆　좌왈 간요전
迎風辨異芬　영풍 변이분
昏明非我力　혼명 비아력
時事付朝曛　시사 부조훈

감상평

이 시(幽居)는 은거의 즐거움을 노래한다. 몸이 늙어서 서로 아는 사람이 없고, 숨어 살아 세상의 분란을 끊었다고 말한다. 이는 세상의 번잡함과 갈등에서 벗어나, 자연 속에서의 삶을 선택했음을 보여준다. 또한, 산꽃에는 아침 햇살이 비추고, 못 풀에는 밤에 구름이 생겨나는데, 달밤에 앉아 아름다운 자연을 감상하며, 바람 맞아 기이한 향기를 구분한다고 말한다. 이는 자연 속에서, 마음의 평화와 행복을 찾고 있음을 뜻한다.

마지막 부분에서 어둡고 밝게 함은 내 힘이 아니매, 시사를 다 아침저녁에다 부치네라는 표현은 세상의 옳고 그름에 대해 판단하지 않고, 자연의 순리를 따르고 있음을 보여준다.

은거의 즐거움 2

학 한 마리 하늘 멀리 날아가
천 갈래의 갈림 길 한 없이 어렵다네
가야금 챙겨 넣어 손님 방문 사절하고
문 닫아 두는 건 봄추위가 겁나서네

늙을수록 은거의 낙(樂) 불어나고
가난이 겹쳐와도 편안함을 더하네
진창길에 가는 세월 빠르거니와
얽음 없는 것이 바로 즐거움이네

一鶴雲天遠　일학 운천원
千岐世路難　천기 세로난
琴藏揮客問　금장 휘객문
門掩㤼春寒　문엄 겁춘한

老益幽居樂　노익 유거락
貧添靜者安　빈첨 정자안
泥途頻甲子　이도 빈갑자
無得是爲歡　무득 시위환

감상평

이 시(靜中 二首)는 은거의 즐거움을 노래한다. 학 한 마리 날아가는 하늘은 멀지만, 천 갈래의 세상길은 힘이 드다고 말한다. 이는 세상의 복잡함에 지쳐, 은거를 통해 마음의 평화를 찾고자 하는 모습을 보여준다. 또한, 금 넣어 두어 객의 방문 사절하고, 문 거는 건 봄추위가 겁나서라네라는 표현은 세상과의 소통을 거부하고, 고독 속에서 삶을 살아가고자 하는 태도를 보여준다.

마지막 부분에서 늙을수록 은거하는 낙 불어나고, 가난은 또 고요한 자 편안 더하네, 진창길에 가는 세월 빠르거니와, 얻음 없는 것이 바로 즐거움이네라는 표현은 은거를 통해, 마음의 평화와 자유를 얻게 되었음을 보여준다.

산중의 세월

긴 둑에 구름 걷히고 이슬은 막 마르네
냇물 갈라져 흐르고 작은 버들 드리웠네
길 가다가 좋은 꽃을 봐도 감상할 맘 없네
나무꾼을 만난 거는 우연스레 만난 거네
원래부터 내 맘속에 경영함을 쉬었나니
산중 세월 더디 감을 다시금 또 깨닫네
친구 중에 속세에서 벼슬한 이 많지마는
뜬 이름에 얻은 것은 살쩍 센 것뿐이라네

長堤雲捲露初晞　　장제운권노초희
溪水分流小柳垂　　계수분류소류수
行見好花無意賞　　행견호화무의상
偶逢樵者不因期　　우봉초자불인기
由來心上營爲息　　유래심상영위식
更覺山中日月遲　　갱각산중일월지
親舊風塵多佩綬　　친구풍진다패수
浮名贏得鬢邊絲　　부명영득빈변사

감상평

이 시(偶吟)는 산중에 은거하여 살아가고 있는 모습을 표현하고 있다. 길을 가다가 좋은 꽃을 보지만 감상할 마음이 없고, 나무꾼을 만났지만 우연스레 만난 것이라고 하다. 이는 화자가 세상의 속세를 떠나 자연 속에서 살아가고 있음을 보여준다.

원래부터 세상에 욕심이 없었던 것 같다. 산중에 은거하여 살아가면서 세월이 더디게 가는 것을 깨닫게 됩니다. 이는 화자가 세상에서 얻을 수 있는 것에 관심이 없기 때문이라고 할 수 있다.

속세에서 벼슬을 한 친구들이 많지만, 그들의 벼슬은 아무런 의미가 없다고 생각된다. 벼슬은 뜬 이름에 불과하다고 생각하는 것 같다.

이 시를 감상하면서 느낀 점은, 세상의 속세를 떠나 자연 속에서 살아가면서 진정한 행복을 찾은 것 같다. 세상의 부귀와 명예에 관심이 없고, 자연 속에서 평화롭게 살아가는 것에 만족하는 것 같다.

도서명 망월

발 행 | 2024년 6월 1일
저 자 | 檀山 박찬근
펴낸이 | 한건희
펴낸곳 | 주식회사 부크크
출판사등록 | 2014.07.15.(제2014-16호)
주 소 | 서울특별시 금천구 가산디지털1로 119 SK트윈타워 A동 305호
전 화 | 1670-8316
이메일 | info@bookk.co.kr

ISBN | 979-11-410-8725-8